tre

www.

CW00822743

Hanna-Linn Hava

Lilys Engelskostüm
hat
kaputte Flügel

Roman

www.tredition.de

Ungekürzte Ausgabe Juni 2020
Erste Auflage

© 2020 Hanna-Linn Hava
Umschlag & Illustration: Hanna-Linn Hava
www.hannalinnhava.de

Verlag & Druck: tredition GmbH, Halenreie 40-44, 22359
Hamburg

978-3-347-08143-7 (Paperback)
978-3-347-08145-1 (e-Book)

„Ich schreibe anders als ich rede, ich rede anders als ich denke, ich denke anders als ich denken soll und so geht es weiter bis ins tiefste Dunkel."

Franz Kafka

Für meine Eltern
Utte und Wolfgang

In Liebe

Erster Teil

*„Des einen Einsamkeit ist die Flucht des Kranken;
des anderen Einsamkeit die Flucht
vor den Kranken."*

Friedrich Nietzsche

Eins

Ich glaube nicht mehr an die Menschen. Sie haben auch nie an mich geglaubt.

Ich glaube nicht mehr an Familie, Freundschaft und Liebe. Ich glaube an so wenig, dass man mich für atheistisch halten könnte.

Aber an Gott glaube ich. Ich glaube, dass Gott ein Arschloch ist.

Als ich deswegen eine Diskussion mit unserem Religionslehrer führte, war er nicht in der Lage, mir das Gegenteil zu beweisen. Vielleicht steckt er jetzt in einer Sinnkrise. Hoffentlich. Wenn man sich sein Leben lang hinter selbstgerechten Weltbildern verschanzt, ist eine Sinnkrise das Beste, was einem passieren kann. Das wird er irgendwann selbst einsehen.

Wenn man allerdings mit 16 Jahren feststellt, dass das eigene Leben bisher aus nichts anderem als einer Sinnkrise besteht, läuft vermutlich etwas grundsätzlich falsch.

Nicht, dass diese Erkenntnis irgendetwas ändern würde. Jeder Versuch, sie an die Außenwelt zu kommunizieren, scheitert an wohlwollender Überheblichkeit.

Und weil der Ausdruck von wohlwollender Überheblichkeit in einem Gesicht in mir den Impuls weckt, hineinzuschlagen, habe ich es längst aufgegeben, mich zu diesem Thema mitzuteilen.

So spare ich mir zusätzlichen Ärger, den ich mir ansonsten durch auffälliges Aggressionsverhalten einhandeln würde.

Soweit habe ich mich dann doch unter Kontrolle, allen Zweiflern zum Trotz.

Ich erwähnte es ja bereits: Die Menschen glauben nicht an mich. Sie glauben mir nicht.

Das sind zwei unterschiedliche Bedeutungen, beide treffen zu.

Ich bin 16 Jahre alt, und dies hier wird nicht meine Lebensgeschichte, sondern die Geschichte davon, wie ich sterben werde.

Mein Name ist unwichtig, aber ihr könnt mich Lily nennen. Das klingt so unschuldig und süß, und ich glaube, das war ich einmal.

Ganz sicher sehe ich immer noch so aus, aber das ist keine Absicht. Mein Gesicht entspricht durch seine pure genetische Anfertigung beinahe dem Idealbild von ästhetischer Weiblichkeit. Große Augen, kleine Nase, volle Lippen und so weiter.

Manchmal blicke ich in den Spiegel und muss grinsen. Mein Gesicht ist mit Sicherheit nicht das Abbild meiner Persönlichkeit. Im Gegenteil. Ich bin das beste Beispiel dafür, wie sehr Äußerlichkeiten trügen.

Es ist nur eines der unzähligen Dinge, über die ich den Kopf schüttle, wenn ich beobachte, wie wirklich alle Leute in meiner Umgebung dennoch andere Leute nach ihrem Aussehen beurteilen.

Ich bin mir nur nicht sicher, ob es sich dabei um Dummheit oder Faulheit handelt. Bisher bestand meine Theorie eher darin, dass die meisten Menschen einfach zu faul zum Nachdenken sind und sich mit Klischees das Leben leichter machen.

In jüngerer Vergangenheit tendiere ich immer mehr zu der Annahme, dass es größtenteils leider doch einfach mangelnde Intelligenz ist. Wenn ich diese Hypothese aber offen äußere, sind irgendwie alle immer recht schnell beleidigt, und keiner der Anwesenden findet mich mehr süß. Dabei schwingt bei mir nie ein Vorwurf mit, wenn ich jemandem mitteile, dass ich ihn für dumm halte. Denn weder ist er schuld an der Konstruktion seines Gehirns, noch bin ich es, was mein Gesicht betrifft.

Allerdings macht es das Ganze auch nie besser, wenn ich das genau so äußere: Ich kann nichts dafür, dass ich hübsch bin, und du kannst nichts dafür, dass du dumm bist.

Okay, wenn ich darüber nachdenke, klingt das wahrscheinlich tatsächlich mindestens arrogant bis hin zu arschlochhaft.

Allerdings bin ich es schon lange leid, darüber nachzudenken, was auf andere unfreundlich wirken könnte.

Es gab Zeiten, in denen bestimmte dies als oberste Priorität mein Denken und Handeln. Getrieben von der Angst, negativ aufzufallen, gab es sogar ein paar Monate, in denen ich meinen Mund gar nicht mehr öffnete. Na gut, außer zum Essen, Trinken, Gähnen, Zähneputzen und Atmen, wenn meine Nase verstopft war. Aber bestimmt nicht zum Sprechen.

Und natürlich hatte das Konsequenzen. Ich war etwa fünf Jahre alt, also in einem Alter, in dem ein infantiles Individuum der menschlichen Spezies bereits längst verbal kommunizieren sollte, um als sozial tauglich eingestuft zu werden.

Inzwischen scheiße ich auf sozial tauglich. Rein philosophisch gesehen habe ich alleine dadurch das Recht dazu, auf soziale Tauglichkeit zu scheißen, indem ich die geistige Fähigkeit dazu besitze mich dafür zu entscheiden.

Vielen Dank an diesem Punkt an das halbe Jahr Philosophieunterricht und an Kant, dessen kategorischer Imperativ sich so wunderbar auf alles abwandeln lässt.

Falls sich jemand an dieser Stelle fragt, ob ich diese meine eigene Interpretation auch im Philosophieunterricht erwähnt habe: Aber gewiss habe ich das.

Schön, dass ihr mich inzwischen bereits ein bisschen

einschätzen könnt.

Mein Philosophielehrer war, das muss ich lobend erwähnen, im Gegensatz zu meinem Religionslehrer sehr darum bemüht, sachlich mit mir zu diskutieren.

Es lief dennoch darauf heraus, dass er mir das Recht absprechen wollte, mich außerhalb der menschlichen Rasse zu stellen. Offensichtlich haben wir bereits durch unsere Geburt keine andere Wahl als die, ein soziales Wesen zu sein.

Ich demonstrierte ihm das Gegenteil dadurch, dass ich ganz asozial meinen Kaugummi auf mein Pult klebte. Was ich zuvorkommend auch noch verbal unterstrich, indem ich darauf hinwies, dass wir Menschen anscheinend die einzige Gattung auf diesem Planeten darstellen, die sich bewusst für destruktives Verhalten entscheiden können. Was uns per se nicht zu automatisch sozial lebenden Lebewesen macht.

Das stellt übrigens nicht eine einfache Provokation dar, sondern ist meine tatsächliche Überzeugung.

Der Lehrer traf die Entscheidung, es als Provokation aufzufassen. Ich teilte ihm mit, dass ich diese Entscheidung natürlich respektieren würde, er sich aber darüber im Klaren sein solle, dass dies nichts weiter als sein eigenes, von Normen gesteuertes individuelles Empfinden sei und keine allgemeingültige Wahrheit.

Danach schickte er mich doch zur Direktorin.

Damals ärgerte ich mich noch darüber. Immerhin beteiligte ich mich aktiv am Unterricht, suchte die intellektuelle Diskussion und bemühte mich offensichtlich darum, konstruktive Wege der Verständigung zu finden.

So oder so ähnlich schilderte ich dies auch der Direktorin.

Ich habe nie genau verstanden, warum gerade sie mich

mochte.

Nicht einmal meine eigenen Eltern mögen mich.

Sie werden dennoch Tränen über meinen Tod vergießen. Und das wird nicht einmal ein Akt der Heuchelei sein. Aber auch keiner der Trauer um meinen Verlust, sondern eine Demonstration ihres eigenen Leides.

Schließlich ist es ein hartes Los, mit einer Tochter wie mir gestraft zu sein, die dann auch noch auf eine derartige Weise ums Leben kommt.

Genau jetzt ist der Moment da, in dem ich dabei bin zu sterben. Aber das, was ich euch erzählen will, hat bereits lange, lange davor seinen Anfang genommen.

Ich bin mir gerade nicht ganz sicher, zu welchem Zeitpunkt es klar war, dass mein Schicksal unausweichlich auf heute zusteuern würde.

Vielleicht war es der Tag, an dem ich aus der Grundschule flüchtete und versuchte, in unserem Dorfwald zu leben.

Vielleicht war es der Tag, an dem ich die zehn Frösche ausweidete und an das Scheunentor nagelte.

Vielleicht war es auch erst der Tag, an dem ich Finn traf.

Ich glaube tatsächlich, es begann bereits in dem Moment, in dem sich die Eizelle meiner Mutter und das Spermium meines Vaters trafen und beschlossen, ein Monster zu zeugen.

Aber erst ab dem Moment, in dem ich Finn traf, begann sich der unbestimmte Nebel zu einem klaren Pfeil zu verdichten, der in eine bestimmte Richtung zeigte.

Und ich folgte nur allzu willig.

Ja, der Tag, an dem ich Finn traf, ist ein guter Anfang.

Zwei

Es war kein guter Tag. Natürlich nicht.

Sobald wir vertrauter miteinander sind, muss ich das nicht mehr extra erwähnen. Für mich gab es nie gute Tage.

Noch denkt ihr, ich übertreibe maßlos. Damit seid ihr nicht allein. Mir wird seit jeher ein Hang zum Drama nachgesagt.

Aber ich bin mir sicher, dass ihr bis, sagen wir mal, Seite 107, längst verstanden habt, wie nüchtern ich im Innersten bin. Die Dramatik liegt in der Wahrnehmung meiner Umgebung begründet, nicht in meiner Absicht.

Wenn das bisher keinen Sinn macht: nicht weiter schlimm.

Ich erzähle jetzt einfach von Finn. Der Rest wird sich erschließen. Falls nicht, bin ich einfach eine miese Erzählerin.

Es liegt nicht daran, dass ihr zu blöd seid, alles zu kapieren.

Haha, tut mir leid, wenn ich jetzt kurz lachen muss. Denn eigentlich denke ich insgeheim, dass ihr wirklich ausgesprochen blöd sein müsst, etwas nicht zu verstehen, was ich erläutere. Ich spreche es nur nicht aus, um euch nicht als Zuhörer zu verlieren. Komisch.

Es war mir so lange gleichgültig, ob mir jemand zuhört oder nicht.

Aber jetzt, wo ich weiß, dass ich bald mit niemandem mehr sprechen werde, brauche ich euch. Das ist nicht nur komisch, sondern absurd.

Ich liebe dieses Wort: absurd.

Und ich bildete mir für eine Weile ein, Finn zu lieben.

Damit habe ich jetzt wieder den Bogen zu dem Tag

gespannt, an dem ich ihn zum ersten Mal traf:

Es war ein viel zu früher Sommermorgen und ich stand mit einem Haufen Gepäck am Straßenrand und schämte mich.

Es gab genug Gründe, sich zu schämen. Ich hätte sie dennoch nur schwer einzeln benennen können.

Aber meine Haut brannte unter der gleichgültigen Helligkeit der fahlen Morgensonne, und ich wusste nicht wohin mit meinem Blick und meinen Händen.

Ich dachte darüber nach, ob mein Schamgefühl bereits den Pegel erreicht hatte, an dem ich ein rotes Gesicht bekommen würde, was einen zusätzlichen Grund für Peinlichkeit dargestellt hätte. Und ich überlegte angestrengt, ob ich es schaffen würde mein Erbrochenes unauffällig wieder herunterzuschlucken, falls ich mich im Bus übergeben würde.

Ich malte mit dem rechten Fußzeh fünf Mal ganz schnell ein winziges Gesicht und zählte drei Mal auf zehn, einmal in Blau, einmal in Türkis und einmal in Grün.

Aus den Augenwinkeln nahm ich den besorgten Blick wahr, mit dem meine Mutter mich beäugte, aber ich beschloss, ihn hart zu ignorieren.

Das Letzte, was ich jetzt brauchen konnte, war eine Diskussion mit einem Elternteil, der seinen Erziehungspflichten in Form von guten Ratschlägen nachkommen wollte.

Der Elternteil sah das natürlich leider anders.

„Du kannst es dir immer noch überlegen, Lily!", kam es in eindringlichem Ton. „Wir zwingen dich nicht, das weißt du!"

Doch, genau das tut ihr. Hätte ich antworten können. Ihr zwingt mich durch emotionale Erpressung und die Ausnutzung eurer Machtposition.

Aber damals war ich noch sehr jung, gerade erst 14 Jahre alt geworden, und noch nicht in der Lage all die Gedankenstürme zu verbalisieren, die mein Gehirn durchtosten.

Besonders nicht dann, wenn ich gerade damit abgelenkt war, dafür zu sorgen, nicht vollständig und sofort zusammenzubrechen.

„Und es sind ja auch nur 3 Wochen!" Jetzt stupste sie mich auch noch aufmunternd in die Seite. Wahrscheinlich war das eher eine Demonstration für die Umstehenden, welch gutes Verhältnis wir hatten, denn sie wusste genau, wie sehr ich es hasste, angefasst zu werden.

„Schau doch nicht so düster!"

Nun gut, jetzt war es der Zeitpunkt, wenigstens pro forma ins Gespräch einzusteigen, sonst würden solche idiotischen Sätze gleich im Sekundentakt folgen.

„Ich schaue nicht düster, ich bin nur müde!" Das war eine meiner Standard-Antworten auf den vorhergegangenen Vorwurf.

Wenn jemand eine Standardantwort benötigt, weil er so häufig auf seinen grimmigen Gesichtsausdruck angesprochen wird, dann liegt es nahe, dass er wirklich nicht besonders fröhlich wirkt.

Aber so sehe ich eben aus, wenn ich absolut neutral eingestellt bin.

Tatsächlich war ich an jenem Tag alles andere als neutral, das gebe ich sofort zu. Dennoch. Ich traute mich nicht zu sagen: „Mutter, halte deinen Mund!"

Ich war schließlich noch ein braves Mädchen.

Vielleicht eines, das trotzdem für Kummer sorgte. Aber zum Beispiel viel zu brav, um mich schlichtweg zu weigern, für drei Wochen mit einer Horde von unbekannten Jugendlichen bis ans Ende der Welt, also Norwegen, zu reisen, obwohl ich schwer davon ausging, dass dies meinen sicheren Tod bedeuten würde.

In dem Augenblick lief Finn an mir vorbei. Natürlich wusste ich da noch nicht, wer er war, aber ich behalte ihn genau so, wie ich ihn damals sah, für immer in Erinnerung. Es mag ein wenig ironisch anmuten, dass für immer in meinem Fall nur noch wenige Minuten bedeutet, aber das ist nun etwas, was ich natürlich damals noch nicht wusste.

Er warf mir im Vorbeigehen so ein leichtes Lächeln zu, das wahrscheinlich ungefähr signalisierte: Wir beide im selben Boot, unbekannterweise.

Ich reagierte nicht, weil ich auf derartige nonverbale Annäherungsversuche stets viel zu spät reagierte. Deshalb dachte er bestimmt von mir, was ich doch für eine miese Zicke sei, und schon zu diesem Zeitpunkt wollte ich nicht, dass er das von mir dachte.

Er sah nämlich aus wie Legolas aus Herr der Ringe. Nicht nur ein bisschen. Sondern beinahe wie eine perfekte Kopie.

Dachte ich zumindest in meiner mädchenhaften Beeindruckbarkeit.

Zwar gehe ich jetzt davon aus, dass ihr alle wisst, um wen es sich bei Legolas handelt, da es in meinen Augen schon beinahe eine Frevelei darstellt, Herr der Ringe weder gelesen noch in der großartigen Verfilmung von Peter Jackson gesehen zu haben – aber gnädigerweise schildere ich diesen glanzvollen Charakter noch einmal für die Ahnungslosen unter euch:

Legolas gehört zum Volk der Elben, was bedeutet, dass er nicht nur wirklich hübsch ist, auf eine männliche Art natürlich, sondern dass er auch seine Emotionen völlig unter Kontrolle hat.

Sein Handeln ist von vornehmer Zurückhaltung geprägt, aber dennoch ist er ein ausgezeichneter Kämpfer ohne Todesfurcht.

Ihr seht, sogar jetzt noch schwingt eine gewisse Schwärmerei in meinen Worten mit. Obwohl längst mein wunderbarer, ätzender Zynismus alle zarteren Gefühle in mir weggebrannt haben sollte.

Keine Ahnung, ob Finn von vornehmer Zurückhaltung war - es sollte sich herausstellen, eher nicht -, aber er hatte lange, hellblonde Haare, die er zusammengebunden auf dem Rücken trug, und er hatte die feinsten Gesichtszüge und schönsten Augen, die ich je an einem Jungen gesehen hatte.

Spätestens bei diesem Gedanken fühlte ich mein Gesicht leuchten wie ein Kaminfeuer.

Zum Glück war Finn da schon längst an mir vorbei, in seinen engen, schwarzen Jeans, dem schwarzen T-Shirt mit dem Aufdruck einer Band, die ich nicht kannte und dem löchrigen schwarzen Rucksack mit den vielen Aufnähern.

Kurz danach kam sein Vater mit einem riesigen Koffer. Ich erkannte sofort, dass es sich dabei um seinen Vater handelte, weil er erstens die gleichen blonden Haare hatte und zweitens brüllte: „Finn, du hast deinen Koffer vergessen!" Woraufhin sich Finn umdrehte und nur mit den Schultern zuckte.

Jetzt kannte ich seinen Namen. Finn. Das klang sogar vage nach einem Elben. Was hatte ich damals noch für eine dermaßen verträumte Fantasie. Eigentlich schade, dass ich irgendwann daraus aufgewacht bin. Oder ein Segen.

Das dürft dann ihr später entscheiden. Obwohl ich selbstverständlich einen Scheiß auf eure Meinung gebe.

Jedenfalls war dieser kurze Moment, in dem ich auf Legolas traf und mein Elend für einen Sekundenbruchteil darüber vergaß, vorbei.

Die Leiterin der Freizeit klatschte fröhlich in die Hände und rief uns zum Aufbruch zusammen.

Wir sollten sie Brigitte nennen, teilte sie uns in einer lauten Kindergärtnerinnen-Stimme mit, und sie freue sich schon so riesig darauf, mit uns ein paar wundervolle Wochen im wunderschönen Norwegen zu verbringen.

Ich glaubte ihr das sogar. Oder anders: Ich glaubte ihr, dass sie es selbst glaubte.

Sie strahlte den totalen Willen aus, ein absolut guter Mensch zu sein. Offensichtlich war sie Christin.

Naheliegend, bei einer Organisation der evangelischen Kirche.

Ich konnte fröhliche Christen nicht ausstehen. Ich mochte es hingegen, wenn sie unter ihrer Erbschuld litten, wenn sie sich mit Sühne und Strafe auseinandersetzten und sich selbst für ihr verderbtes Fleisch bestraften. Diese leidenschaftliche Opferbereitschaft besaß eine würdevolle Aufrichtigkeit, die ich respektierte.

Die Wir-lieben-alle-Christen andererseits konnte ich nicht wirklich ernst nehmen.

Versucht es einfach mal und schlagt einen Christen ins Gesicht. Ich gebe euch hundert Euro, falls er euch die andere Wange hinhält.

Und das ist nur eine Metapher dafür, dass ihre Nächstenliebe nur soweit reicht, solange sie ihr eigenes Ego wärmt.

Das galt mit Sicherheit auch für die muntere Brigitte. Aber weil ihr die Fähigkeit zur Introspektion fehlte, wie den meisten menschlichen Kreaturen, glaubte sie von sich selbst fest, eine mitfühlende Christin zu sein.

Das sah ich an ihrem weit aufgerissenen Lächeln, das feuchtes Zahnfleisch entblößte, an den Falten auf ihrer

Stirn, die unterdrückten Ärger verrieten, an ihrer schwarz gefärbten Kurzhaarfrisur, welche frische Jugendhaftigkeit verleihen sollte und an ihren pinken Shorts.

Ich tippte auf Anfang 40, früh ergraut aufgrund verleugneter psychischer Probleme, gelangweilt verheiratet mit einem anderen Christen und kinderlos, sonst würde sie sich das hier nicht antun.

Damit wusste ich alles über sie, was ich wissen musste.

Ich würde sie dennoch als Leiterin respektieren müssen.

Und ich durfte Leute nicht auf ihre Defizite ansprechen, das hatte man mir inzwischen beigebracht. Ich verstand zwar immer noch nicht wirklich warum; nur durch das aufmerksam werden auf Mängel konnten diese behoben werden. Aber ich passte mich an.

Ich würde Brigitte nicht erklären, dass sie deswegen Christin war, weil ihr die Kirchengemeinde Raum bot, sich als sozial engagiert zu beweisen, ohne wirklich daran arbeiten zu müssen, ein besserer Mensch zu werden.

Dafür würde sie mich hoffentlich ebenfalls in Ruhe lassen.

Als ich aber an der Reihe war, ihr die Hand zu schütteln und mich vorzustellen, bevor ich in das stählerne Monstrum steigen würde, das bereit war mich in die Hölle zu entführen, erkannte ich sofort, dass sie mir mit Sicherheit nicht meinen Frieden gönnen würde.

Ich erkannte es an dem prüfenden Blick ihrer ungeschminkten Augen und dem viel zu kräftigen Händedruck. Sie hoffte nicht nur darauf, dass ich mich als lohnendes Projekt ihrer mütterlichen Fürsorge erweisen würde. Sie wollte mit aller Macht Gutes an mir tun!

Mir lief es sprichwörtlich kalt den Rücken herunter.

Das hier würde alles noch viel, viel schlimmer werden,

als ich es mir ausgemalt hatte.

Ich nahm meine gesamte Konzentration zusammen, um nicht meinen Ekel zu zeigen, sondern eines meiner Standard-Lächeln zu produzieren, das süße Harmlosigkeit als Botschaft hatte. Dieses hatte sich bisher am besten bewährt, um in meinem Gegenüber jede Skepsis auszuräumen und im besten Fall auch jedes Interesse.

In letzter Zeit funktionierte es aber nicht mehr so fehlerfrei wie noch vor ein, zwei Jahren, denn Vertreter des männlichen Geschlechts wurde ich dadurch kaum noch los. Ich hatte mir bereits vorgenommen zu analysieren, woran das lag und dann Korrekturmaßnahmen einzuleiten.

Die flotte Brigitte war zwar augenscheinlich weiblich, reagierte aber dennoch nicht wie gewünscht.

Später sollte ich herausfinden, dass meine Eltern bereits im Vorfeld ein Gespräch mit ihr geführt und mich als schwierigen Fall geschildert hatten.

Was ihren Jagdinstinkt geweckt und mich ins Visier ihres Helferzwangs gerückt hatte. Danke, Eltern. Ihr hattet es echt drauf, beschissene Situationen für mich noch beschissener zu machen.

„Wie schön, dass wir dich dabeihaben, Lily!", behauptete Brigitte, während sie versuchte, mir die Hand zu zerquetschen. Ich habe nie verstanden, was daran höflich sein sollte, verschwitzte und verkeimte Gliedmaßen zur Begrüßung aneinanderzudrücken.

Wahrscheinlich ein primitives Überbleibsel aus unserer Primatenzeit.

Elben nickten sich leicht aus der Ferne zu, wenn sie Hallo sagen wollten. Das würde mir ebenfalls mehr als genügen.

Und was wollte sie jetzt als Antwort auf diesen dämlichen Satz?

„Ich nehme deine Freude mit Skepsis zur Kenntnis."
Wäre meine höflichste Antwort gewesen. Aber selbst das
würde eher für Verwirrung sorgen. Also, wie immer: lächeln und nicken.

Offensichtlich wurde Schüchternheit eher akzeptiert
als Ehrlichkeit.

Beinahe erleichtert entfloh ich Brigittes Händen und
Augen die engen Stufen hinauf in das Innere des Busses.

Erst da wurde mir bewusst, dass ich es versäumt hatte,
mich von meiner Mutter zu verabschieden. Ich seufzte innerlich tief.

Dafür würde ich mindestens eine Postkarte mehr
schreiben müssen.

Ich bemühte mich, besonders engagiert aus dem Fenster zu winken, als wir abfuhren, und ganz kurz spürte ich
Mitleid mit meiner Mutter. Wie sie etwas verloren dort
stand und ihr hilfloses Gesicht immer kleiner wurde. In diesem Augenblick war ich sogar erleichtert, für drei Wochen
dem häuslichen Umfeld aus Vorwürfen und Schuld, Streit
und Sprachlosigkeit zu entkommen.

Mochte diese unsägliche Reise zu guter Letzt etwa sogar einen positiven Aspekt offenbaren?

Misstrauisch begann ich meine Mitreisenden zu scan-
nen, soweit mein Röntgenblick sie zu erfassen vermochte.

Ich saß alleine - zum Glück! - auf einem Doppelsitz so
ziemlich genau in der Mitte und nicht weit weg vom WC.
Wie bereits erwähnt war es nicht unrealistisch, dass meine
Übelkeit während der Fahrt mich zum Kotzen zwingen
würde.

Ich malte mit dem rechten Fußzeh fünf Mal ganz
schnell ein winziges Gesicht und zählte drei Mal auf zehn,
einmal in Blau, einmal in Türkis und einmal in Grün.

Links neben mir hatte es sich ein Mädchen am Fenster

bequem gemacht. Sie war in etwa mein Alter, das beinahe schwarze Haar in zwei Zöpfen geflochten, pragmatisch gekleidet in Kapuzenpulli und Jeans mit einem offenen, kindlichen Gesicht. Ich tippte auf den Typ sportliche Streberin, die es ungerechterweise schwer hatte, weil sie tatsächlich aus Freude daran viel lernte und nicht, um es anderen recht zu machen. Als sie ein Kindle aus ihrem Rucksack zog, um wahrscheinlich etwas so Ungewöhnliches zu tun, wie einen richtigen Roman zu lesen, wurde sie mir beinahe sympathisch. Solange es sich dabei weder um Mädchen mit Pferden oder Mädchen mit Vampiren handelte. Beides war gleichermaßen scheußlich.

Jedenfalls ordnete ich sie als keine aktuelle Bedrohung ein und scannte weiter.

In der letzten Reihe zum Beispiel ging es bereits um einiges lauter und beunruhigender zu. Es stellte offensichtlich ein Naturgesetz dar, dass sich in den letzten Reihen stets diejenigen sammelten und verbrüderten, die auf irgendeine Art und Weise Ärger machen würden.

Und wenn ich es aus den Augenwinkeln richtig wahrgenommen hatte, war leider auch Finn dort irgendwo dabei.

Direkt vor mir tuschelten zwei Mädchen mit zusammengesteckten Köpfen miteinander, so dass sie in mein Blickfeld gerieten.

Blondiertes Haar blitzte auf, Parfümschwaden wehten herüber, und ich schnappte die Satzfragmente „er schreibt, er vermisst mich schon voll" und „findest du nicht, dass diese Hose mich fett macht" auf. Natürlich würde ich mich hüten, Menschen allzu schnell in Klischees zu schubsen, aber die Erfahrung hatte mich gelehrt, dass es einen Typ Mädchen gab, mit denen ich nicht gut zurechtkam.

Halt, das war irreführend ausgedrückt. Grundsätzlich

kam ich nicht gut zurecht mit Mädchen aller Art, Jungen aller Art und Erwachsenen aller Art, außer diese waren geistig völlig verrückt. Mit den Verrückten fand ich immer erstaunlich schnell eine gemeinsame Ebene.

Aber es gab verschiedene Differenzierungen von „schlecht zurechtkommen": Durchschnittlich, überdurchschnittlich und total.

Und so selten ich auch in totalitären Maßstäben dachte – wenn solche wie die und solche wie ich aufeinandertrafen, griff normalerweise der Begriff „total schlecht zurechtkommen." Nur dass ich dabei meistens den Kürzeren zog. Weil auf meiner Seite gab es immer nur mich. Und auf der anderen herrschte grundsätzlich eine Überzahl. Manchmal fühlte es sich so an wie allein gegen die Welt. Klar klingt das erst mal nach jammervollem Selbstmitleid.

Dabei betrachtete ich die Lage nur mit kühlem Kalkül. Es war eine nüchterne Rechnung:

Wer in diesem Bus könnte einen möglichen Verbündeten darstellen, wer würde sich mit hoher Wahrscheinlichkeit als Feind beweisen und wer neutral bleiben?

Es gab dreißig Jugendliche zwischen 12 und 16 Jahren in diesem Bus auf dem Weg in drei Wochen voller Spaß, Action und Kreativität. So versprach es wenigstens die wenig vertrauenserweckende Website der Kirchengemeinde.

Aber nur einer davon war deutlich bewusst, dass sie sich mitten in einem Krieg befand. Aber sie wusste noch nicht, dass sie zwar die ein oder andere Schlacht gewinnen würde, aber von Anfang an dazu verdammt war, diesen Krieg zu verlieren.

Drei

Die Fähigkeit, sich unsichtbar zu machen ist zu Recht ein beliebtes Motiv in Film und Buch. Wahrscheinlich hat jeder von euch zumindest einmal darüber nachgedacht oder eine Situation erlebt, in der er sich sehnlichst wünschte, diese Superkraft zu besitzen, oder etwa nicht?

Mit 14 hatte ich mir diese bereits erarbeitet. Es war so viel leichter gewesen, als ihr vermuten würdet. Weil es einen zwingenden Punkt gibt, der größtenteils unbekannt ist.

Ihr wollt alle schöner aussehen, als ihr es tatsächlich seid. Keine empörten Widerworte bitte. Ich unterstelle niemandem maßlose Eitelkeit. Und falls doch, kann euch meine Meinung egal sein, macht euch doch nicht so abhängig vom Urteil anderer. Aber zu spät. Das wurde euch schon unumkehrbar indoktriniert.

Ihr seht die Makellosigkeit eurer Vorbilder, ihr brütet über den tausendfach gefilterten Instagram Bildern, die euch mit überirdisch perfekten Körpern angreifen. Und dann kapituliert ihr, ohne überhaupt zu wissen, dass gerade die Deckung eures Selbstbewusstseins unter einer Attacke zusammengebrochen ist, und ihr bestellt euch brav die lippenvolumenvergrössernden Cremes, die wimpernverlängerndenundstärkenden Mascaras und die sauteuren Leggins aus viel zu billigem Material.

Ihr schleicht gedemütigt ins Fitnessstudio, um aus Hühnerbrüsten etwas Männliches, oder ihr schnallt euch verschämt wattierte BHs um, um aus Hühnerbrüsten etwas Weibliches zu machen, und ihr übt den coolen Blick oder den sexy Schmollmund tausende von Malen im abgeschlossenen Bad.

Wenn ihr euch jetzt ertappt fühlt, beruhige ich euch in

einem Anflug von Mitgefühl: Keine Sorge, ihr tut das alles, weil ihr völlig normal seid. Euch bleibt nichts anderes übrig, und ihr greift auf eine Verhaltensweise zurück, die das Überleben der menschlichen Spezies bis jetzt entscheidend mitgesichert hat: Ihr passt euch den gegebenen Umständen und Schönheitsidealen an. Kompliment also.

Ein Freak wie ich denkt anders. Und dass so jemand eben nicht langfristig überlebensfähig ist, habt ihr ja bereits mitgekriegt. Ihr seid ja nur noch mit dabei, weil ihr schon sensationslustig darauf giert, endlich meinen Tod mitzuerleben. Da braucht ihr noch ein bisschen Geduld. Ich bin gerade so schön am Erzählen.

Und zwar davon, wie der Wunsch nach Schönheit das Unsichtbarwerden verhindert.

Es ist ein ziemlich simples Gesetz: Wir sind aufgehübschte Leute gewohnt. Nicht nur das. Wir sind es gewohnt, aufgehübschte Leute an der Art ihrer Aufgehübschtheit einzuordnen. Und wir sind es gewohnt, dass aufgehübschte Leute auch gesehen werden wollen.

Und dann existieren diejenigen, die so dermaßen nicht in dieses Normbild passen, dass sie auch schon wieder auffallen. Die extrem Fetten. Die extrem materiell Unbegünstigten. Die extremen Nerds. Nicht die coolen Nerds, sondern die, deren Kleidung von Mami ausgesucht wird, die beim Reden sabbern und im Sportunterricht mit ihren X-Beinen verzweifelt versuchen mitzuhalten. Die Opfer, um es kurz zu machen.

Und genau in der Mitte zwischen den Aufgehübschten und den Opfern existiert ein winziger Punkt der absoluten Neutralität. Wer sich in diese Neutralität hüllt, der wird unsichtbar. Ein Quäntchen zu wenig bedeutet bereits, als Opfer wahrgenommen zu werden. Und ein Quäntchen zu viel schubst einen in den sichtbaren Normbereich.

Ich hatte hart daran gearbeitet, diesen Punkt so genau wie möglich zu treffen, und nach einigen Monaten des Herumexperimentierens und der Rückschläge hatte ich ihn im Alter von zwölf Jahren ziemlich exakt erreicht.

Natürlich gab es Tage, an denen ich schluderte und sichtbar wurde, und natürlich bewahrte ich es mir vor, in bestimmten Situationen nachlässig zu werden.

Aber so insgesamt kümmerte ich mich jeden Morgen dann, wenn andere vor dem Spiegel standen und ihre Make-Up Maske auftrugen oder ihre Haare in einen Gel-Helm verwandelten, darum, sorgfältig die Rüstung meiner Unsichtbarkeit anzulegen.

Auch am Tag meiner Abfahrt ins Straf-, äh, Entschuldigung, Ferienlager, hatte ich mir selbstverständlich diese Mühe gemacht. Da sogar besonders. Ich wusste schließlich, dass der erste Eindruck der wichtigste war. All die, welche mich beim Kennenlernen als unsichtbar wahrnahmen, würden über spätere Fehler in der Rüstung eher hinwegsehen. Und ihr seht bitte über den Umstand hinweg, dass es sich bei dem Ausdruck „Unsichtbarkeit wahrnehmen" um ein Paradoxon handelt. Es nervt mich schon so ungemein, dass ich auf diese unzulängliche Form der menschlichen Kommunikation namens Sprache zurückgreifen muss. Mir fällt gerade auf, wie fertig mich dieser Umstand eigentlich macht, so dass ich dem später noch ein ganzes Kapitel widmen werde. Erinnert mich daran.

Aber jetzt saß ich erst mal im Bus. In meiner ganzen Unsichtbarkeit. Die bestand aus einem grauen, weiten T-Shirt mit einer dunkelblauen Kapuzenjacke darüber, Jeansshorts und grauen Sneakers. Ansonsten achtete ich darauf, dass meine Haare ordentlich, aber langweilig halblang geschnitten waren, natürlich ungefärbt in ihrem herrlichen deutschen Durchschnitts-Dunkelblond, ich hielt jedes

Mittel von meinem Gesicht fern, das meine Augen größer oder meine Lippen röter machen würde, und ich trug stets irgendein besonders uncooles Accessoire. Heute war das eine Kette mit einem fürchterlichen bunten Schmetterling als Anhänger. Komischerweise funktionierte die Unsichtbarkeit am besten, wenn es ein derartiges eigentlich auffälliges Detail gab.

Bisher hatten mich auch alle in Ruhe gelassen. Ich registrierte zwar die verstohlenen Blicke, mit denen die anderen sich und auch mich gegenseitig musterten, aber ich wusste schon lange, dass sie dabei viel weniger wahrnahmen als ich, meist dafür jedoch im Gegensatz zu mir die Dinge, auf die es ankam. In meinem Fall sollten sie also eigentlich den Köder schlucken und mich, unbewusst als zu langweilig zum Befreunden und zu langweilig zum Mobben eingestuft, sofort wieder vergessen.

Bis auf Finn. Der hatte mir zugelächelt. Ich spürte, wie mir beim Gedanken daran sofort wieder die Röte ins Gesicht flog.

Ich malte mit dem rechten Fußzeh fünf Mal ganz schnell ein winziges Gesicht und zählte drei Mal auf zehn, einmal in Blau, einmal in Türkis und einmal in Grün.

Aber sogar das Erröten war eine praktische Waffe. Es machte meine Schüchternheit glaubhafter.

Alles in allem würde diese verfluchte Reise eine schwierige Schlacht werden, aber so langsam begann ich wieder darauf, auf meine Superkräfte zu vertrauen, stöpselte meine Ohrhörer ein, zog mir die Kapuze ins Gesicht und versuchte bei meinem schon tausendmal gehörten Klassiker „Die zehn brutalsten Serienkiller der Geschichte" zu entspannen, um die Fahrt übelkeitsfrei zu überstehen.

Was natürlich nicht geschehen würde. Die Busfahrt verstrich zwar ohne Kotzen, war aber dennoch geprägt durch Sterbenselendigkeit. Das dachte ich, bis die Fähre in die tiefschwarze See stach und ich begriff, was sterbenselend wirklich bedeutete.

Mit rebellierendem Magen und bleierner Müdigkeit torkelte ich so oft vom Liegesitz zum Klo und zurück, dass ich diesen Weg bald blind beherrschte. Überraschend oft stieß ich dabei mit Leuten aus meinem Bus zusammen, denen es wohl zumindest ähnlich ging, denn wir tauschten nie mehr als verstörte Blicke aus bleichen Gesichtern, was irgendwie eine sehr angenehme Form der Kommunikation war, denn diese beherrschte ich mit Bravour.

Anscheinend bestand damals mein Repertoire an Mimik aus drei verschiedenen Basis-Blicken: böse, verstört oder, mit einiger Anstrengung, harmlos lächelnd.

Inzwischen ist das anders. Ich habe bewusst gelernt, selbst die kleinsten Muskeln meines Körpers zu benutzen, um eine differenzierte Ausdrucksweise zu kreieren. Was leider komplett für den Arsch war. Jetzt stehe ich hier, um zu sterben und ärgere mich darüber, dass ich so viel Zeit damit verschwendet habe, mir eine aussagefähige Mimik anzutrainieren. Ach nein, ich ärgere mich nicht wirklich. Reine Koketterie. Eigentlich bin ich ja schon stolz darauf, was ich da geleistet habe.

Aber wie gesagt, damals war ich noch jung und dumm und nur Meisterin über drei Gesichter, und ich saß auf der Fähre fest mit einem Haufen Irrer. Also eigentlich mit einem Haufen normaler Menschen, aber Menschen verhalten sich so irrational, dass es mir manchmal absolut irre erscheint.

Nein, falsch, inzwischen weiß ich ja, dass ich die Irre bin, nicht die anderen. Und dass das, was ich damals als irrationales Verhalten empfand, in Wirklichkeit ein der menschlichen Evolution zuträgliches Verhalten sein muss.

Die Natur reguliert sich bekannterweise selbst, und wenn etwas so widernatürlich ist, wie ich es bin, dann wird das auf die eine oder andere Weise eliminiert. Pech gehabt, Natur, da komme ich dir zuvor und eliminiere mich lieber selbst.

Aber wie sollte ich nicht glauben, dass Menschen völlig verrückt seien, wenn ich aus der engen, stinkenden Klokabine in den engen, stinkenden Vorraum torkelte, und ein Mädchen sich dort vor dem schmutzigen Spiegel mit zitternder Hand den Lippenstift auffrischte, während ihr noch Kotze im Ausschnitt hing.

Da waren wir beide, eingepfercht in einen Blechkasten, der nur durch irgendwelche nicht verständlichen physikalischen Gesetze auf der Wasseroberfläche hing und nicht einfach auf den Meeresgrund sank, da waren wir, immer in Gefahr, eben doch zu sinken und obendrein ausgeliefert unsren eigenen schwachen Körpern, die uns mit besagter Sterbenselendigkeit quälten – und sie dachte als einziges daran, hübsch auszusehen?

Ich hingegen hatte meine Zeit damit verbracht, einen Teil meines spärlichen Internetguthabens aufzubrauchen, um meine Überlebenschancen im Falle eines Unglücks zu googeln, und vor allem die Methoden, um es zu steigern. Ich hatte die Fluchtwege studiert, hatte Informationen über den Lebenslauf unseres Kapitäns eingezogen, hatte den Zustand der Rettungsboote inspiziert und mir eine riesige Portion extrem fettiger Pommes heruntergezwungen, um im Notfall nicht so schnell an Unterkühlung zu sterben.

Mindestens Letzteres war eine dumme Idee gewesen, weil die Pommes längst wieder unverdaut im Klo gelandet waren.

Aber dennoch – Lippenstift wäre das allerletzte gewesen, an das ich jemals gedacht hätte. Obwohl ich zugeben musste, dass ich, als ich sie so verzweifelt an sich herummalen sah, nicht umhinkam, mir vorzustellen, wie ich gerade aussah und was Finn davon halten würde.

Das waren sehr fremde Gedanken für meinen Kopf. Ich schob es auf eine Art Unzurechnungsfähigkeit durch die Seekrankheit.

Trotzdem warf ich beim Hinaushuschen einen Blick in den Spiegel, aber ich konnte nicht viel erkennen, entweder weil der Spiegel zu schmutzig oder ich zu unsichtbar war.

Und in der Tür stieß ich dann mit Brigitte zusammen. Was sie spontan als Gelegenheit ansah, mich in den Arm zu nehmen, die dumme Kuh. Das hätte ich zumindest beinahe laut ausgerufen. Mir fiel noch rechtzeitig ein, dass es keine gute Idee wäre, meine Betreuerin bereits am ersten Tag zu beleidigen. Also beschloss ich ebenfalls spontan, das am letzten Tag nachzuholen. Dadurch konnte ich ihre schwitzige Nähe, ihren warmen feuchten Atem und ihren Geruch nach Deo, Schweiß und Käsebrot besser ertragen.

„Arme Kleine", raunte sie mit mitleidigem Ton zu nahe an meinem Ohr. „Brauchst du eine Tablette gegen Übelkeit? Du kannst jederzeit zu mir kommen!"

„Wenn du dir jemals die Zeit genommen hättest, genauestens die Nebenwirkungen dieser Tabletten zu studieren, würdest du niemals daran denken, derartigen Giftmüll fremden Kindern anzubieten!", wollte ich ihr erklären, tat es aber nicht. Sogar in meinem desolaten Zustand klappte die Filterfunktion noch.

„Danke, das werde ich", knirschte ich hingegen zwischen zusammengebissenen Zähnen hervor. Dann wand ich mich möglichst höflich aus ihrer christlichen Umarmung und schleppte mich auf meinen Liegesitz zurück.

Ich malte mit dem rechten Fußzeh fünf Mal ganz schnell ein winziges Gesicht und zählte drei Mal auf zehn, einmal in Blau, einmal in Türkis und einmal in Grün.

Und wünschte mir sehnlichst, unsere Fähre würde in einen Sturm geraten und kentern.

Vier

Norwegen ist ein großartiges Land. Doch, wirklich, ohne jede Ironie diesmal: Norwegen ist ein absolut großartiges Land.

Wenn ich das geahnt hätte, wäre ich vielleicht fröhlicher in den Bus gestiegen. Vielleicht auch nicht.

Wenn ich länger leben würde, wäre es mein erklärtes Ziel nach Norwegen auszuwandern. Die Vorteile liegen auf der Hand: Es gibt dort viel Natur und wenig Menschen.

Und die paar Menschen, die es gibt, sprechen eine lustige Sprache. Wenn sie überhaupt einmal sprechen. Dafür sind sie durchweg zurückhaltend und freundlich, wahrscheinlich, weil ihnen das große Glück bewusst ist, Norweger zu sein.

Als wir am frühesten Morgen von Bord der verfluchten Fähre stolperten, verliebte ich mich ohne zu zögern in das gesamte Land. Vielleicht war es die milde Luft mit dem wilden Duft nach Salz und Moos und Fels und Wald.

Vielleicht war es die helle Stille über dem schläfrigen Hafen. Vielleicht war es auch die Vorahnung, dass dies die ersten und letzten Tage meines Lebens werden sollten, in denen ich so etwas wie glücklich war.

Egal. Ich war ganz tief innen beeindruckt. Ihr kennt mich nicht, also könnt ihr nicht wissen, dass mich kaum etwas beeindruckt.

Als man mich im Alter von vier Jahren in einem Zirkus auf den Rücken eines Elefanten hob, ärgerte ich mich nur darüber, dass ich dort sitzen musste, wo sich das Kind vor mir vor Aufregung in die Hose gepinkelt hatte. Und mir tat der Elefant leid, der ständig durchnässte Kinder im Kreis schleppen musste. Und ich hatte Angst, dass wir nicht rechtzeitig für den Beginn von „Dunkle Epochen der

Geschichte" zu Hause sein würden.

Als wir zum Geburtstag meiner Großmutter mit dem Heißluftballon aufstiegen, war ich gerade an einer wirklich spannenden Stelle bei Alice im Wunderland angelangt und konnte nicht nachempfinden, was an einer öden Landschaft von oben spannend sein sollte. Also verbrachte ich die gesamte Fahrt über lesend auf dem Boden sitzend. Da war ich schon fünf.

Als der Mädchenschwarm Moritz sich für das Mädchen seines Herzens in der Klasse entscheiden sollte, und dies zum Ausdruck brachte, in dem er ausgerechnet mir einen Kuss auf den Mund gab, haute ich ihm dermaßen eine rein, dass seine Nase blutete. Da war dann wenigstens er beeindruckt, aber nicht positiv. Aber er fand Trost bei Mia, die war nämlich wiederum echt beeindruckt von ihm.

Als dann der Direktor mich danach öffentlich per Schulsprechanlage zu einem Einzelgespräch einbestellte, war das Einzige, was mich daran störte, die Tatsache, dass dies ausgerechnet nicht während meiner verhassten Mathe-Stunde geschah. Wir hatten dann übrigens auch ein interessantes Gespräch darüber, dass Gewalt keine Lösung darstellt.

Das war natürlich seine Meinung. Ich erklärte ihm, wenn Aggression nicht ein adäquates Mittel für Auseinandersetzungen sei, wäre sie dem Menschen rein evolutionstechnisch schon längst abhandengekommen. Und dann musste ich leider noch hinzufügen, dass er wohl eine Fehlbesetzung auf seinem Posten sei, wenn ihm derartiges Grundwissen fehlte.

Da war ich acht.

Danach musste ich zum ersten Mal die Schule wechseln. Und ab da erkannte ich übrigens so langsam, dass es die Leute nicht mochten, wenn ich sagte, was ich dachte.

Oder so handelte, wie mir gerade war. Aber ich verstand noch nicht, warum.

Jetzt, wo ich es verstehe, tut mir so manches leid, was ich gesagt oder getan habe. Wirklich. Aber das ist ein anderes Thema.

Jedenfalls sah ich Norwegen und war definitiv beeindruckt.

Das war ein so ungewohntes Gefühl, dass ich ganz vergaß, unsichtbar zu sein. Ich vergaß meine Vergangenheit, ich vergaß meine Zukunft. Ich war nur noch, irgendwo dazwischen.

Und genau in dem Moment, in dem ich nichts weiter darstellte als ein Einsiedlerkrebs ohne Muschel, stand auf einmal Finn neben mir. Und sprach mich an.

Die Morgensonne ließ sein Haar leuchten, als stünde es in Flammen. Das lenkte mich so ab, dass ich den Inhalt seiner Worte nicht verstand. Also strahlte ich ihn an. Weit darüber hinaus, was mein einstudiertes Lächeln sonst zu bieten hatte. Weil in meiner Überraschung das Glück mitschwang, gerade jetzt genau hier zu stehen und Norwegen entdeckt zu haben.

Daran lag es wohl, dass er so aufrichtig zurücklächelte, dass auch das mich irgendwie beeindruckte, auf eine ganz andere Weise, als Norwegen es tat.

„Ja, echt, oder? Der totale Horror. Zurück schwimme ich lieber, bevor die mich noch mal auf dieses Wrack kriegen!"

Ok, ich hatte das Einstiegsthema verstanden. Die Überfahrt. Die er anscheinend genauso wenig genossen hatte wie ich.

„Wir können die nächsten Wochen ja schon mal hier üben", entgegnete ich und deutete auf die schimmernden Seen in der Ferne.

Finn lachte. Ich war geschockt. Zum ersten Mal seit langem hatte ich nicht erst meine Gedanken gefiltert, bevor ich sie aussprach und mein Gegenüber war weder gekränkt, irritiert oder gelangweilt.

„Ich bin so ein mieser Schwimmer, da reichen ein paar Wochen nicht", sagte er, immer noch lachend. Währenddessen zog er eine Packung Zigaretten aus seiner Jackentasche und hielt sie mir hin.

„Willst du auch eine?", fragte er.

„Klar", sagte ich. Und war wieder geschockt, anders kann ich das nicht formulieren. Diesmal über mich selbst.

Selbstverständlich rauchte ich nicht. Es gab keinen einzigen vernünftigen Grund, das zu tun. Es war eine dieser irrationalen Handlungen, für die ich die Menschen verachtete. Geld dafür auszugeben, um sich selbst langsam umzubringen: kein einziges Tier wäre so dämlich. Ich hatte dem rauchenden Anteil meiner Verwandtschaft leidenschaftliche Vorträge zu dem Thema gehalten. Kein Onkel traute sich mehr, in meiner Anwesenheit zu rauchen.

Und jetzt hielt ich eine Kippe im Mund und ließ sie mir von Finn anzünden.

Der Rauch, der mir die Kehle hinabbrannt, war viel beißender, als ich es erwartet hatte. Meine Lungen beschwerten sich. Aber ich ignorierte sie. Wenn ich wollte, konnte ich schon seit jeher echt hart im Nehmen sein, was meinen Körper betraf. Und gerade wollte ich ganz unbedingt.

Ich atmete aus, und verspielte Wolken tanzten zwischen unseren Gesichtern.

„Danke", sagte ich und lächelte schon wieder, ohne es zu planen. Ich mochte komischerweise den gummiartigen Geschmack des Filters in meinem Mund, und ganz ehrlich: Ich liebte den Anblick des Rauchs. Vielleicht weil er sich in Finns elbischem Haar verfing.

Jedenfalls geschahen in diesem Augenblick zwei Dinge. Zum einen war ich ab da entschlossene Raucherin. Und zum anderen erleuchtete mich die Erkenntnis, warum es alles andere als dämlich war dies zu sein: Diese Entscheidung, sich gegen alle Überlebensinstinkte zu stellen und bewusst etwas zu tun, was uns tötet. Das war der ultimative freie Wille. Darin lag eine kraftvoll elegante Schönheit, die mich von da an fesseln und leiten würde.

So philosophisch verklärt klar war mir das damals natürlich nicht. Ich war einfach nur ganz verblüffend heiter. Das Warum war mir so was von egal.

„Wie heißt du eigentlich?", fragte Finn. Ich konnte mich nicht an meinen Namen erinnern.

„Irgendwie halt", sagte ich spontan.

Finn lachte wieder. „Interessanter Name. Ich bin Finn."

„Nein, du bist Legolas", hätte ich fast gesagt, konnte es aber irgendwie hinunterschlucken.

Er gab mir einen kleinen Klaps auf die Schulter. Ich haute ihm deswegen keine rein. Nicht nur, weil ich inzwischen wusste, dass Gewalt gesellschaftlich unerwünscht war, sondern weil es mir nichts ausmachte, dass er mich berührte.

„Wir müssen los, die Alte macht Stress."

Ganz eindeutig meinte er damit Brigitte, die machte nämlich richtig Stress. Sie fuchtelte mit den Armen und versuchte uns seit wahrscheinlich einer guten Weile bei sich zu versammeln, denn sie klang maximal genervt. Das würde die nächsten Wochen sehr häufig der Fall sein.

„Leute, jetzt macht schon, wir haben noch zwei Stunden Fahrt vor uns!" Weil anscheinend die Leute immer noch nicht schnell genug machten, griff sie doch tatsächlich nach einer quietschgelben Trillerpfeife und blies hinein, dass es schepperte.

Es war wohl nicht ihre erste Jugendfreizeit.

Finn zertrat seine Kippe auf dem Felsboden und ich tat es ihm nach, ohne mich über die Umweltverschmutzung zu kümmern. Ich musste entsetzlich krank sein. Die Umweltverschmutzung war ein anderes Thema, durch das ich mich zu den strengsten Vorträgen hinreißen ließ, vor denen die bereits zum Nichtrauchertum gezwungene Verwandtschaft schreckensbleich flüchtete.

Heute hatte in der Hinsicht niemand etwas von mir zu befürchten.

Wir schlossen uns dem wachsenden Haufen der immer noch von der Seereise gezeichneten Gestalten an. Sogar jetzt noch kann ich mich beinahe körperlich an das Prickeln erinnern, das ich empfand, als ich von Finn und mir als „wir" dachte.

„Finn und Lily, richtig?", empfing uns ein braungelockter Jüngling, der so jung gar nicht mehr war. Ich erkannte erst jetzt, dass es einer von Brigittes Assistenten sein musste und keiner unserer Leidensgenossen.

„Nee, falsch, Finn und Irgendwie halt", konterte Finn grinsend. Ich kicherte. Bis dahin hatte ich nicht mal geahnt, dass ich kichern konnte.

Der Jüngling fand es weniger witzig. Aber sein Lächeln blieb da, wo es war. Natürlich. Blaues Outdoor-Karohemd, Sandalen mit Socken und ein Gitarrenkoffer über der Schulter. Christ. Dafür, dass er höchstens 22 Jahre alt war, kleidete er sich wie mein Opa. Na gut, mein Opa war ein rüstiger 90-jähriger Hobby-Ornithologe der sockig und sandalt fröhlich in Wäldern herumlag und „Juchheißa!", brüllte, wenn er eine schwarzschnäblige Birkenmeise erspähte, also schon wieder irgendwie bewundernswert.

Aber mit Anfang 20 musste doch etwas Grundlegendes

im Leben schiefgelaufen sein, wenn man sich freiwillig in einem derartigen Aufzug als Betreuer eines Jugendcamps zur Verfügung stellte.

Später sollte ich erfahren, dass Lukas, wie er hieß, wirklich nichts weiter als ein guter Mensch war. Er studierte Sozialarbeit, war ein begeisterter Kanu-Fahrer, engagierte sich für Obdachlose und war der aufrichtigen Meinung, Jesus sei das beste Vorbild, das man sich wünschen könne.

Nichts daran verdiente meine Kritik. Ich würde dennoch gemein zu ihm sein.

Aber das wusste er noch nicht. Er hielt Finn für den Störenfried. Na ja, das war auch nicht falsch.

Finns ganze Erscheinung trug den Titel „Störenfried". Natürlich war das bewusst genau so von ihm gewählt, nicht anders, als ich mich absichtlich für „unsichtbar" entschieden hatte. Aber wisst ihr was? Damals machte ich mich generell über alle Arten von selbstgewählten Rollen lustig. Ja, in finsteren Momenten mit schwarzem Humor gewiss auch über meine eigene.

Nur Finn durfte ungestraft sein Rebellentum auf naive Weise präsentieren. Ich sah verklärt darüber hinweg. Und ihr habt inzwischen längst kapiert, dass „verklärt" kein Titel ist, den irgendjemand mit mir normalerweise in Verbindung bringen würde.

Obwohl, Lukas möglicherweise schon. Denn dieser erwischte mich ja ausgerechnet in diesem Zustand. Wahrscheinlich furchten deswegen Sorgenfurchen seine jugendliche Stirn, als er uns so zusammen sah; er befürchtete ein sich anbahnendes Techtelmechtel, das seine Aufsichtspflicht strapazieren würde. Denn auch Lukas war ein Veteran der Ferienlager-Bewegung, sowohl als aktiver als auch pensionierter Teilnehmer. Er hatte bereits alles gesehen. Er wusste, welch undenkbaren Dinge geschehen konnten.

Und er war fest entschlossen, diese zu verhindern.

All dies spiegelte sich in dem Timbre seiner Stimme wider, als er fragte: „Habt ihr etwa geraucht?"

Meine spontane Antwort wäre gewesen: „Das ist eine durchaus korrekte und nicht unscharfsinnige Erfassung der Situation, Gratulation." Inzwischen wusste ich ja, dass dies zwar ebenfalls eine durchaus korrekte Äußerung wäre, aber aus einer Vielzahl von Gründen keine kluge. Denn was Menschen in so einem Fall normalerweise taten, war zu lügen. Das machte alle zufrieden, seltsamerweise auch die Belogenen. Lügen aber war in meiner Programmierung nicht vorgesehen. Inzwischen kann ich es übrigens ganz gut. Es ärgert mich zwar immer noch, wenn ich Unwahrheiten einsetzen muss, nur damit eine Konversation nicht ins Stocken gerät, aber ich kann es tun. Und nein, damit habe ich nicht meine Prinzipien verraten und bringe mich jetzt deswegen um. Das haben sich die Scharfsinnigen unter euch bestimmt gerade zusammengereimt. Hört auf mit so was. Damit geht ihr mir nur auf die Nerven. Aber okay, falls jemand es schafft, das Ende zu erraten, ohne bei diesem Buch bis ganz nach hinten zu blättern, bekommt er ein Schokoladeneis mit Sahne und bunten Zuckerstreuseln. Und das war jetzt eiskalt gelogen. So gut bin ich inzwischen darin.

Damals war ich es nicht.

Und weil ich dazu noch überrumpelt war von meiner neuen verblüffenden verklärten Beziehung zu Norwegen und zu Finn, tat ich etwas Dummes: Ich sprach meine spontane Antwort laut aus.

„Das ist eine durchaus korrekte und nicht unscharfsinnige Erfassung der Situation, Gratulation."

Das Gesicht von Lukas veränderte sich so, als hätte ich ihn mitten hineingeschlagen. Finn neben mir lief knallrot an, als er versuchte, einen Lachanfall zu ersticken.

Ich lief ebenfalls knallrot an. Warum nur gehörte es nicht zu einem normalen Konversationsverhalten, fehlerhafte Sätze einfach so löschen zu können? Wir hätten eine bessere Welt! Ich jedenfalls hätte eine bessere Welt.

Aber in dieser Welt hatte ich unseren jungen, sympathischen Betreuer gleich mal ordentlich verbal verletzt. Weil er sich natürlich durch Ironie angegriffen fühlte. Obwohl ich es nicht mal ironisch gemeint hatte. Aber das brauchte ich gar nicht erst zu behaupten. Ich wusste, dass das alles nur noch schlimmer machen würde.

Mit der Unsichtbarkeit war es jedenfalls ab jetzt absolut vorbei. Ich griff automatisch zu dem einzigen Mittel, das mir noch blieb und lächelte harmlos. Ein weiterer Blick in Lukas Gesicht zeigte mir, dass er auch das nun als ironische Geste auffasste.

„Kommt jetzt", sagte er schroff und so, als hätte er beinahe etwas anderes gesagt und ging zum Bus voran.

Wir folgten.

Finn ging so dicht neben mir, dass der feste Stoff seiner Jeansjacke an meinem Arm rieb wie die Zunge einer Kuh.

„Sowas hätte ich dir nie im Leben zugetraut", sein Atem war dicht an meinem Ohr, seine Worte eine Mischung aus Flüstern und Lachen. Ich konnte sein Shampoo riechen, vermischt mit Schweiß und Rauch und Haut.

„Du siehst so süß und schüchtern aus!"

Ich bin mir immer noch ganz sicher, dass dies das erste Mal war, dass ein Typ mich süß fand. Ich weiß auch noch genau, wie ich mich darüber wunderte. Nein, das ist viel zu milde ausgedrückt. Ich weiß noch genau, was das für ein Schock war. Kein negativer. Ungefähr so, wie wenn nach dem Saunagang der Schwall kaltes Wasser kommt. Nur überraschender.

Deswegen stolperte ich beinahe über meine eigenen Füße. Mein Gehirn streikte, als es versuchte, diese Information zu verarbeiten und eine angemessene Reaktion zu finden. Aber da kam nur ein „Error" und löste fast einen Systemabsturz aus. Der Wechsel von „unsichtbar" über „frech zu Betreuern" zu „süß" kam zu schnell und ohne Vorankündigung. Ich fühlte den Schwindel kommen und konnte ihn nicht aufhalten.

Inzwischen kann ich auch das. Habt ihr inzwischen gemerkt, wie viel ich inzwischen kann? Im Vergleich zu früher jedenfalls. Ich kann mit Sicherheit vieles besser als ihr. Dinge, die ihr niemals lernen werdet. Aber das kann euch so was von egal sein. Denn das was ich nicht kann, darauf kommt es nun mal an. Und das sind Dinge, die ich niemals lernen werde. Und zwar nicht deswegen, weil mir keine Zeit mehr dazu bleibt. Ich könnte die nächsten hundert Jahre damit zubringen, fleißig zu lernen, zu trainieren, zu wiederholen, zu studieren, zu verinnerlichen – vergeblich. Jedem Menschen sind geistige Grenzen gesetzt. Eure verlaufen in einem harmonischen Kreis, der von einem gütigen Schöpfer gezogen wurde. Und zwar so, dass der all das beinhaltet, was ein menschlicher Geist benötigt, um ein intaktes soziales Wesen zu sein. Ihr schafft es zweifellos dennoch, euch seit Jahrtausenden wie asoziale Arschlöcher aufzuführen, aber das ist euer Problem.

Bei meinen Grenzen hingegen war der Teufel Architekt; er dehnte sie stellenweise bis in Gefilde aus, die ihr nicht betreten könntet, ohne wahnsinnig zu werden. Und dann wiederum zog er sie in anderen Bereichen so eng, dass ihr mich mit meiner vollsten Zustimmung als geistig zurückgeblieben bezeichnen dürft.

Und das mit dem Teufel ist nicht einmal so weit hergeholt.

Vor kurzem noch, wenn man die Menschheitsgeschichte als Ganzes nimmt, hättet ihr mich als Hexe verbrannt.

Jetzt kann ich eure Empörung beinahe greifbar spüren. Aber das ist eine selbstgerechte Überhöhung eurer selbst. Ihr seid weder bessere noch schlechtere Menschen als eure Vorfahren. Ihr passt euch nur den gegebenen moralischen und gesellschaftlichen Regeln an. Wenn die euch vorgeben, dass Hexen verbrennen ein nettes Hobby ist, dann macht ihr das. Wenn es ein Tabu ist, Jungen Röcke anzuziehen, dann macht ihr das nicht, obwohl es nichts gibt, was dagegenspräche.

Wenn es als normal gilt, eine ganze fühlende und denkende Spezies wie das unterschätzte Schwein nicht nur zu versklaven, sondern als billiges Material anzusehen und unter den qualvollsten Bedingungen massenweise zu vermehren, nur damit ihr euer tägliches Schnitzel für 1,99 im nächsten Discounter bekommt, dann hinterfragt ihr das nicht.

Wenn irgendwo anders auf der Welt andere Völker genau das gleiche mit Hunden machen, dann fangt ihr an zu heulen und haltet das für böse.

Aber wir wollen jetzt nicht anfangen, darüber zu diskutieren, was Menschen an Vorwänden einfällt, um anderen Spezies und sich selber Böses anzutun und sich dennoch als der Gute dabei zu fühlen. Wir wollen auch nicht darüber diskutieren, ob nicht alles, was ihr als böse bezeichnet, ganz normale menschliche Verhaltensweisen darstellt.

Sonst mache ich euch nur Angst, weil ich euer Weltbild durcheinanderbringe. Dann schützt ihr euch, indem ihr euch über mich ärgert. Und dann rennt ihr weg. Und ich muss doch alleine sterben.

Also erzähle ich euch weiter von Finn und dem Ferienlager. Vor allem die Mädchen unter euch wittern bestimmt schon seit einer Weile eine Geschichte über die erste große Liebe und große Emotionen und großes Drama. Das gefällt euch. Und an die männlichen Vertreter: Ja, irgendwann geht es auch um Sex. Fühlt ihr euch jetzt in typische Geschlechter Klischees gedrängt? Immerhin etwas.

Ich erzähle trotzdem weiter.

Als wir in den Bus stiegen, meldete sich ja der Schwindel bei mir an. Ihr erinnert euch. Der Schwindel ist ein alter Bekannter von mir. Als Freund würde ich ihn nicht bezeichnen. Aber das heißt nicht viel, ich habe keine Freunde. Damals hielt ich ihn für meinen schlimmsten Feind.

Denn wenn er beschlossen hatte, mich zu überwältigen, dann tat er das einfach. Ich verfügte über kein Mittel, ihn aufzuhalten.

Und selbstverständlich tauchte er immer dann auf, wenn ich ihn so überhaupt nicht brauchen konnte. Die engen Stufen den Bus hinauf schaffte ich irgendwie, und irgendwie reichte es sogar bis zu meinem Platz, auf den ich mehr fiel als niedersank. Falls Finn irritiert von meinem Verhalten zu seiner Rückbank weiterzog, so bekam ich das nicht einmal mit.

Ich spürte nur die Erleichterung, zu sitzen. Mit zitternden Händen schaffte ich es, mir die Hörer in die Ohren zu stopfen und mein Hörbuch einzuschalten. Die beruhigende Erzählstimme streichelte sanft meinen Geist und drängte die Panik zurück.

Ich malte mit dem rechten Fußzeh fünf Mal ganz schnell ein winziges Gesicht und zählte drei Mal auf zehn, einmal in Blau, einmal in Türkis und einmal in Grün.

Der Schwindel blieb. Wenn ich versuchte, ihn genau zu beschreiben, versagte ich.

Ein Arzt hatte mich bereits daraufhin untersucht und nichts Abnormales gefunden. Herz und Kreislauf, alles unauffällig. Er schob es auf schnelles Wachstum, was ein Witz war, wenn man meine 162 cm bedachte.

Mir machte der Schwindel mehr als nur ein bisschen Angst. Er war brutal. Er lähmte meinen Körper, so dass ich kaum noch Kontrolle darüber hatte. Als säße ich weit entfernt in einem Turm und blickte auf meine nutzlosen Gliedmaßen hinab. Auch mein Kopf war dann außer Kontrolle. Wie an der Schwelle zu einer Ohnmacht, nur dass diese nie kam. Geräusche taten mehr weh als sonst. Gesprochene Sätze machten keinen Sinn mehr. Ich war wie in rosa Zuckerwatte gehüllt, nur dass diese mir Schmerzen zufügte.

Versucht das mal einem Arzt zu erklären. Ich war damit bereits bei meinen Eltern gescheitert.

Als ich das mit der aggressiven rosa Zuckerwatte geschildert hatte, war mir mein Vater nur lachend mit der Hand durchs Haar gewuschelt.

„Du hast eine so unglaubliche Fantasie! Bestimmt wirst du einmal eine fantastische Schriftstellerin!"

Er hatte nicht mehr gelacht, als ich daraufhin erzürnt meine Zimmertür hinter mir zugeschmettert hatte. Das war mir strengstens verboten, seitdem er das Schloss zum dritten Mal hatte auswechseln müssen.

Im Bus gab es kein Zimmer als Rückzug. Es gab mich, meinen Platz und den Schwindel.

Mit geschlossenen Augen, den Sprecher im Ohr, der nur für mich die beruhigende Geschichte von Fritz Haarmann, dem Werwolf von Hannover erzählte, ohne dass ich auch nur ein Wort verstand. Aber es half mir beim Einschlafen.

Und Schlaf, das wusste ich, würde den Schwindel vertreiben.

Und wenn ich erwachte, würden wir unsere Unterkunft erreicht haben. Und dort würde der Alptraum weitergehen, der sich heute so schockierend schnell in etwas Anderes verwandelt hatte. In etwas Seltsames. In etwas beinahe Wunderbares.

Und ich würde ohne meine Rüstung der Unsichtbarkeit lernen müssen, mit neuen Waffen zu kämpfen.

Und ein Teil von mir würde in der Schlacht fallen, und ein anderer Teil von mir würde zu neuer Macht gelangen.

Aber hey, das ist mir erst heute bewusst. Damals war ich nichts weiter als verwirrt. Seht ihr es vor euch, wie der rote Bus langsam mit mir durch enge Straßen kurvt, vorbei an Wasser und Steinen? Wie der Tag träge erwacht, wie vereinzelte Sonnenstrahlen immer wieder durch lichte Wolken stechen und den roten Lack aufleuchten lassen als wäre er aus Feuer?

Vielleicht sitzt in diesem Moment der Teufel am Steuer, der auch meine Grenzen gebaut hat.

Fünf

Vielleicht ist es jetzt Zeit für eine kleine Abhandlung über Einsamkeit. Einsamkeit ist unsexy. Also wäre es blöd von mir gewesen, euch dieses Thema gleich zu Beginn vor den unbedarften Kopf zu knallen.

Aber zu diesem Zeitpunkt folgt ihr mir bereits mit genügend Interesse, um euch auch mal was zumuten zu dürfen. Ich habe euch echt geschont bisher. Das fällt mir schwer, weil ich nie genau einschätzen kann, wo die Grenzen des Zumutbaren liegen. Ich kapiere es schon irgendwann, aber meistens erst dann, wenn jemand heult. Deswegen habe ich eine effektive Strategie entwickelt: Ich sage gar nichts. Das bedeutet nicht, dass ich nicht reden würde. Ich kann eine stundenlange Unterhaltung mit euch führen, ohne auch nur einen Satz mit Informationsgehalt von mir zu geben. Dafür lasse ich euch munter drauf los plaudern. Ihr macht das gern. Und es fühlt sich für euch nicht so an, als würdet ihr dabei ausgehorcht und auf eure Schwächen und wunden Punkte getestet. Im Gegenteil. Ihr findet mich schnell außerordentlich sympathisch.

Zu Beginn übertrieb ich es dermaßen mit meiner grenzenlosen Empathie, dass alle Mädchen meine beste Freundin werden wollten und sich alle Männer in mich verliebten. Einfach, weil mein Interesse an ihnen so grenzenlos war. Was sagt euch das?

Das sagt euch bereits etwas über Einsamkeit, korrekt.

Ihr seid alle irgendwie einsam. Die Beziehungen, die ihr miteinander führt, sind alles Kompromisse. Niemals findet ihr jemanden, der wirklich bis in die tiefsten Tiefen eures Herzens blicken kann und euch wirklich aufrichtig versteht. Das Komische darin ist, dass ihr euch das zwar sehnlichst wünscht, es aber andererseits selbst bei eurem Gegenüber nie ernsthaft probiert.

Ihr wollt für das geliebt werden, was ihr wirklich seid und gleichzeitig schämt ihr euch für das, was ihr seid und versucht, es hinter tausend Masken zu verstecken. So wird das nie was.

Aber das ist mir egal. Ich habe mir dieses Spiel lange Zeit angesehen, anfangs irritiert, dann amüsiert und zuletzt konsterniert.

Trotz allem jedoch ist die Einsamkeit nur ein kleines Zimmer in eurem Zuhause, ein kleines Zimmer, das ihr gut verschlossen und größtenteils vergessen habt.

Solche wie ich wohnen in der verfickten Villa Einsamkeit.

Schon von Geburt an. Wenn das jetzt in irgendjemanden so was wie einen Hauch Mitleid erweckt: Schluck ihn runter.

Ich hab mich längst gemütlich in meiner Einsamkeit eingerichtet. Solange ich für mich bin, spüre ich sie auch nicht. Solange ich Menschen als fremde Spezies betrachte, die ich beobachte und analysiere, spüre ich sie ebenfalls nicht. Im Gegenteil, dabei fühle ich mich bestens unterhalten. Ihr seid eine ziemlich kurzweilige Spezies. Wenn ihr zu langweilig werdet, provoziere ich euch ein bisschen, und dann wird es ganz schnell wieder spannend.

Schwierig wird es dann, wenn ich anfange, jemanden von euch zu mögen. Schaut nicht so überaus skeptisch. Das kann mir unter Umständen schon mal passieren. Auf eine gewisse Art mag ich euch alle. Etwa so, wie ihr Hunde mögt. Sorry, das war herablassend. Aber nicht so beabsichtigt. Und ich verspüre jetzt auch keine Lust dazu, euch das so auszuführen, dass ihr wieder besänftigt seid.

Denn es geht jetzt um das, was ihr Liebe nennt und

schon längst millionenfach durch Klischees und Kommerz missbraucht, gefoltert und verkrüppelt habt. Ich bleibe dennoch bei diesem Begriff, sonst überfordere ich euch.

Aber wir sprechen dennoch über verschiedene Gefühle. Wenn ihr jemanden liebt, dann wollt ihr eigentlich nur jemanden, der euch liebt. Ihr sucht euch einen Partner danach aus, wie sehr ihr euch von ihm gemocht und begehrt fühlt. Da ist nichts Verwerfliches daran. Im Gegenteil.

Es war jedenfalls ziemlich einfach, sie mir abzugewöhnen, die Liebe, aber wie mit allen schlechten Gewohnheiten: Zuerst einmal muss man beinahe daran verrecken, bevor man sich überwinden kann, damit zu brechen.

Dafür hatte ich dann leichtes Spiel mit dem Rest dieser nervigen Gesellschaft: Hass, Wut und Angst waren ziemlich easy zu eliminieren. Behalten habe ich die Einsamkeit.

Davor hat sie mich aber so was von kalt erwischt, diese Scheiß Liebe. Und für einen Moment fühle ich mich mit euch solidarisch, mit jedem von euch, der seinen ersten Liebeskummer durchlebt hat. Wir sind vielleicht von unterschiedlichen Planeten, aber was das betrifft, haben wir alle schon mal gelitten wie verrückt.

Damals jedoch hätte ich nicht damit gerechnet, dass mich jemals so was treffen würde. Nennt das ruhig Arroganz. Ich nenne es eine Bildungslücke.

Das kommt davon, wenn man sich bereits als kleines Mädchen mehr für Serienkiller als für Märchenprinzen interessiert.

Und wenn man dann völlig unvorbereitet nach Norwegen stolpert und in die Arme von jemandem fällt, der aussieht wie Legolas und einem sagt, wie süß er einen findet.

Hätte ich nur auf meine Kusinen gehört, die mich ständig zu Pyjama Partys mit High-School-Liebesfilm-

Marathon einluden. Hätte ich nur Frauenzeitschriften gelesen anstatt Romane. Oder wenn schon Romane, dann wenigstens Jane Eyre und nicht Jack London. Hätte ich mich nur von Moritz küssen lassen, anstatt ihm eine reinzuhauen.

Dann wäre ich vielleicht ein klein wenig besser auf alles vorbereitet gewesen. Oder auch nicht. Ihr tut schließlich all diese Dinge und wollt dann trotzdem unbedingt sterben, wenn ihr unglücklich verliebt seid.

Davor kommt aber immer erst mal das Glück. Das Glück, jemanden entdeckt zu haben, der so hell für dich leuchtet, dass du erst daran merkst, wie dunkel es davor eigentlich war.

Das war Finn für mich. Ein Licht in einer Einsamkeit, die erst durch ihn einen Namen bekam.

Der Tag unserer Ankunft jedenfalls war strahlend hell. Ich stand wieder mal mit meinem gesamten Gepäck vor dem Bus herum und schämte mich. Diesmal waren die Gründe dafür leichter zu benennen: Ich befürchtete, Finn könne den positiven ersten Eindruck von mir längst bereut haben, nachdem ich mich im Bus wie eine Idiotin aufgeführt hatte.

Zum Glück waren wir bereits ohne viel Zögern in zwei Gruppen nach biologischem Geschlecht aufgeteilt worden. Trotz den verwirrenden Gefühlen von Scham, Schwindelresten und Glück, konnte ich es mir nicht verkneifen, diese Aufteilung als albern einzustufen.

Diese Besessenheit, Menschen nach der Form ihrer Genitalien zu ordnen, war albern. Und nein, das ist kein Plädoyer für die Gender-Debatte. Die Gender-Debatte ist ebenso albern. Die gleiche Besessenheit, Menschen bloß nicht nach der Form ihrer Genitalien zu ordnen. Radikales Gedankengut, die eine wie die andere Seite. Es gibt nun mal zwei verschiedene biologische Geschlechter und ein paar

Ausnahmen dazwischen. Na und? Kein Grund, sich deswegen fertigzumachen.

Als viel bedeutsamer stufte ich zum Beispiel die Vorliebe für politische Ansichten ein. Und ein sinnvolleres Auswahlkriterium wäre immer noch sogar so was wie der gleiche Musikgeschmack anstatt der Tatsache, dass wir alle eine Vagina hatten.

Außerdem hätte dann die Chance bestanden, mit Finn in ein Zimmer zu kommen. Dies mochte dazu beitragen, dass ich so herzhaft über die Trennung von Mädchen und Jungen fluchte. Ein ganz klein wenig bestimmt.

So hielt ich mich an die sportliche Streberin, ihr erinnert euch an sie?

Sie hatte immerhin eine Vagina, gehörte also in meinen Club, und löste in mir latente Sympathiegefühle aus. Das schafften schon mal wenige Menschen, gleich welchen Geschlechts. Da war ich für faire Gleichberechtigung.

Außerdem machte sie den Eindruck von immenser Schüchternheit. Das gefiel mir auch. Mit schüchternen Menschen konnte ich gut umgehen, weil ich nicht schüchtern war, es aber längst überzeugend spielte. Also witterten sie in mir eine Leidensgefährtin und waren gleichzeitig dankbar dafür, wenn ich dann die Führung übernahm.

„Wollen wir zusammen in ein Zimmer?", fragte ich freundlich. Dafür hatte ich ein Extra-Lächeln entwickelt, das nicht nur harmlos, sondern auch vertrauenerweckend wirkte. Hoffte ich wenigstens.

Bei dem Mädchen mit den schwarzen Zöpfen funktionierte es. „Ja, gern", sie lächelte so dankbar zurück, dass sie mir ein wenig leidtat. Mädchen wie sie waren das ideale Opfer für jeden charmanten Psychopathen.

Zum Glück für sie war das einzige Furchtbare, was ich mit ihr vorhatte, eine funktionierende soziale Bindung auf

Zimmergemeinschaftsbasis. Und ihre Stimme war klar und angenehm, sie roch nicht seltsam, sie las Bücher, sie würde sich eignen.

„Ich heiße Lily", sagte ich immer noch sehr freundlich.

„Und ich Lotta", erwiderte sie.

„Fängt beides mit L an, das passt doch!" Ich war stolz auf mich. Gemeinsamkeiten zu finden und herauszuheben förderte die Bindung zwischen Personen. Ich wusste das, war aber normalerweise trotzdem nicht gut darin.

„Luna fängt auch mit L an!", krähte es da hinter uns. Ich zuckte zusammen. Das Mädchen, das einfach meine Taktik zur Verschwesterung klaute, hatte sich irgendwie dazu geschlichen. Oder nein, jemand wie sie schlich nicht. Jemand wie sie stampfte. Nicht, weil sie zufällig klein und dick war und nicht anders gehen konnte, sondern weil sie gehört werden wollte.

Obwohl sie nicht viel älter als wir sein konnte, hatte sie etwas von einer 50-Jährigen. Das mochte an ihrer halblangen blonden Dauerwelle liegen. Oder dem bunten Blumenkleid und den Gesundheitssandalen. Oder an der Art wie sie redete.

„Ich wurde nach der Mondgöttin benannt, weil meine Mutter fand, ich war schon gleich nach der Geburt so weiß und golden", plapperte sie. „Habt ihr vielleicht ein Hustenbonbon für mich? Mein Hals ist sehr empfindlich, und die Luft auf der Fähre war total feucht. Bestimmt sehe ich ganz schlimm aus nach der langen Fahrt, habt ihr geschlafen? Ich habe kein Auge zugetan, bestimmt schlafe ich erst mal 20 Stunden!" Sie lachte so fröhlich, als wäre das eine echt gute Nachricht für alle.

Ich mochte sie nicht. Aber ich fand sie interessant. Und es war immer praktisch, jemanden im Team zu haben, der gern und viel redete.

„Magst du auch zu uns ins Zimmer, Luna?", fragte ich, etwas bemühter freundlich diesmal, und verkniff mir jeden Kommentar zu Müttern, die ihre Töchter nach einer Mondgöttin benannten.

„Oh, das ist so lieb von euch! Ich hatte schon Angst, dass hier alle so arrogant sind! In meiner Klasse sind alle ziemlich arrogant, das sind ganz schlechte Schwingungen! Ich hab auch viel Schokolade dabei, falls das Essen hier schlecht ist. Schokolade ist sehr wichtig bei Nährstoffmangel, sagt meine Mutter."

Einen winzigen Moment erstarrte mein Lächeln, als sich auf der Zunge dahinter folgende Worte bildeten:

„Hast du bereits einmal in Erwägung gezogen, die geistige Gesundheit deiner Mutter in Frage zu stellen? Die Kriterien sowohl bei der Auswahl deines Namens als auch deiner Frisur und Kleidung legen dies zumindest nahe, und wenn sie dich wirklich mit Schokolade füttert, um dich vor Nährstoffmangel zu schützen, dann solltest du unter Umständen das Jugendamt informieren und dich zur Adoption freigeben lassen, bevor deine geistige und körperliche Gesundheit vollständig ruiniert sind."

Aber da Finn nicht in unmittelbarer Nähe war, funktionierten meine Filter. Ich schaffte also ein: „Ich mag Schokolade."

Das war immer noch besser als vieles, was ich sonst so produzierte, wenn ich darauf konzentriert war, etwas anderes lieber nicht zu sagen.

„Ich auch!", bestätigte Lotta.

„Wir passen wirklich gut zusammen!", rief die kleine Luna. Sie schwitzte jetzt schon so stark, dass feuchte Löckchen an ihrer rosa Stirn klebten.

„Wir sind die L-Girls die auf Schokolade stehen!"
Ich wechselte einen raschen Blick mit Lotta.

Zum Glück bestätigte der ihre identisches Entsetzen. Wenn ich mich nicht völlig irrte, und ihre aufgerissenen Augen eigentlich signalisierten, dass sie dringend aufs Klo musste. Der Gesichtsausdruck von Entsetzen und heftigem Pinkeldrang lagen leider recht dicht beieinander.

In dem Moment legte Finn von hinten den Arm um mich. Ich zuckte nicht mal zusammen, so rasch hatte ich ihn bereits an seinem Geruch erkannt. Das war übrigens sein Glück. Sogar meinem eigenen Bruder hatte ich mal einen Zahn ausgeschlagen, als er mich ohne Vorwarnung von hinten anfasste. Zum Glück nur einen Milchzahn.

„Das könnt ihr vergessen, Mädels!", sagte er. „Lily und ich haben schon ein eigenes Zimmer reserviert."

Ich kicherte dann eben mal wieder dümmlich. Das hatte ich anscheinend schnell gelernt.

Mehr musste ich zum Glück aber auch nicht tun, dann war schon wieder der stets wachsame Lukas zur Stelle und sammelte Finn wieder zu den restlichen Penisträgern ein, die geschlossen zu ihrer Unterkunft geführt wurden.

Ich malte mit dem rechten Fußzeh fünf Mal ganz schnell ein winziges Gesicht und zählte drei Mal auf zehn, einmal in Blau, einmal in Türkis und einmal in Grün.

Lotta und Luna starrten mich beide an. Diesmal meinte ich Ehrfurcht in ihren Gesichtern zu erkennen.

„Kennt ihr euch etwa?", fragte Luna ungläubig.

„Flüchtig" sagte ich. Aber da war sie wieder, diese Leichtigkeit, die die letzten Schatten des Schwindels auflöste.

Und als ich meinen Rucksack auf das schmale, quietschende Bettgestell in dem engen, miefigen Zimmer pfefferte, sang ich irgendein Lied vor mich hin, von dem ich nicht einmal mehr wusste, dass ich es jemals gehört hatte. Natürlich hatte sogar ich das im Lauf der Jahre nebenbei als Allgemeinwissen aufgeschnappt: Verliebte verhielten sich sprichwörtlich dämlich. Nur hätte ich diese Diagnose niemals mir selbst gestellt. Weil ich mich zwar gewiss sehr oft sehr dämlich verhielt, aber nie irrational. Nach meinen eigenen Maßstäben jedenfalls. Und denen traute ich schon damals mehr als den euren.

Aber ich hätte es bis zu diesem Zeitpunkt absolut ausgeschlossen, mich zu verlieben. Was ich bisher davon erfahren hatte, war mir wenig reizvoll erschienen:

Ein Mensch war von einem anderen Menschen grundlos völlig besessen, verlor dabei jeden Bezug zur Realität und litt unendlich. Was bitte schön sollte daran attraktiv sein?

Sex hingegen war eine spannendere Option. Dabei schienen die Leute wirklich so richtig Spaß zu haben. Ich freute mich bereits darauf, endlich alt genug zu werden, um Sex zu haben, seit ich 8 Jahre alt war.

Als ich das in eben jenem Alter meiner Mutter freudig verkündete, reagierte sie mit einem gewissen Entsetzen. Nicht nur das. Meine Eltern beraumten eine Gesprächsrunde ein, in der sie mir sehr seltsame Fragen stellten. Das taten sie mit so vielen umständlichen Worten und hilflosen Blicken, dass ich ewig brauchte, um zu kapieren: Sie machten sich Sorgen, ich könnte versuchen, meinen Plan sofort in die Tat umzusetzen. Was ich hingegen sofort kapierte: Das Thema Sex war den Menschen offensichtlich extrem peinlich. Ich testete das noch einige Male, indem ich auf Familienfeiern die gesamte bemitleidenswerte Verwandtschaft danach befragte, wie oft sie im Monat Geschlechtsverkehr hätten und welche Praktiken sie dabei bevorzugten. Die Reaktionen waren so eindeutig, der Ärger, den ich mir dadurch einhandelte, so gewaltig, dass die Sachlage sehr schnell eindeutig war: Aus irgendeinem Grund war das

Thema Liebe ganz legitim, obwohl es so kompliziert, unangenehm und überflüssig war.

Und aus irgendeinem anderen Grund war das Thema Sex ein Tabu, obwohl es unkompliziert, erquicklich und dadurch ziemlich erstrebenswert schien.

Ab da verlor ich nie wieder öffentlich ein Wort darüber, obwohl ich für mich den einzig logischen Schluss zog: Ich würde mich in meinem Leben niemals verlieben aber unheimlich viel Sex haben.

Und auch heute noch finde ich, dass das kein schlechter Plan war. Aber heute weiß ich auch, dass es tatsächlich bedauernswerterweise nicht nach logischen Regeln abläuft, wenn Menschen aufeinandertreffen, die sich anziehend finden.

Letztendlich macht das ja genau den Reiz aus.

Und letztendlich musste ich in diesem Sommer vor zwei Jahren eines herausfinden: Ich funktionierte in bestimmten Bereichen genauso fehlerhaft wie normale Menschen auch. Und das war eine sehr ungewohnte Erfahrung.

Sechs

Wer von euch ist eigentlich noch da? Ich war bis jetzt wirklich nicht besonders nett zu euch, oder? Aber das hatte ich ja genau so versprochen. An meine Versprechen fühle ich mich gebunden. Keine Ahnung warum, aber nicht nur in Liebestorheiten überschneiden sich einige meiner ver-rückten Grenzen mit dem Normalbereich, sondern auch in Fragen der Ehre.

Oder vielleicht auch nicht. Ich nehme diese Werte und Tugenden nämlich wortwörtlich und verbittert ernst, und ihr tut das eigentlich so überhaupt nicht. Ihr erfindet dafür einen ganzen Haufen schräger Typen, die das für euch übernehmen. Robin Hood. Superman. Jesus.

Ihr lobt die Kämpfer für Gerechtigkeit und die Verfechter der Wahrheit. Und dann lügt ihr statistisch gesehen so etwa 100 Mal am Tag. Und ihr seht weg, wenn sie dem kleinen Klaus mit der Brille auf dem Pausenhof das Vespergeld wegnehmen.

Ich konnte den kleinen Klaus auch nicht leiden, weil er immer seinen Mund offenstehen hatte und nach Kartoffeln roch, die zu lange in einem muffigen Keller gelagert hatten.

Aber mir war bewusst, dass dies keine vertretbaren Kriterien darstellten, um jemanden abzulehnen. Ich respektierte sie nur als ein Ausdruck meiner individuellen Vorlieben.

Dann stand ich aber genau im richtigen Moment am richtigen Ort, um zu beobachten, wie Romeo und Pierre den kleinen Klaus in die Ecke drängten, um ihn auszurauben. Und da zählten meine persönlichen Antipathien nicht viel. Erstens konnte ich auch Romeo und Pierre nicht leiden.

Und zweitens blieb eine Ungerechtigkeit eine Ungerechtigkeit, auch wenn sie sich gegen ein mieses kleines Arschloch richtete. Und Klaus war nicht mal das. Er war einfach klein und schwach und roch seltsam.

Wir hatten große Pause und die Lehreraufsicht war weit und breit nicht zu sehen, weil es sich dabei um Herrn Schulze handelte. Der beschränkte seine Aufsicht meistens auf den Dunstkreis der Kantine, weil er dort mit der Kantinenfrau flirtete und manchmal sogar ein Eis von ihr bekam. Ich hatte diesen Vorgang bereits mehrfach beobachtet und war zu dem Schluss gekommen, dass sie es aus Mitleid tat.

Weil ich es ja auch mit der Wahrheit extrem ernst nahm, jedenfalls noch in meiner frühen Jugend, hatte ich Herrn Schulze auch unverzüglich über diese Tatsache aufgeklärt.

Er hatte sich nicht dafür bei mir bedankt. Das fand ich unhöflich, denn schließlich wollte ich ihn vor weiteren zum Scheitern verurteilten Balzversuchen bewahren.

Und er versuchte es daher munter weiter. Möglicherweise hatte ich seine Intentionen auch falsch verstanden und er hatte es nur auf das Eis abgesehen.

Jedenfalls war er nicht anwesend, um den Akt des Machtmissbrauches in der Schulhofecke zu registrieren.

Im Gegensatz zu mir.

Kurz analysierte ich die Lage: Romeo und Pierre waren beides Viertklässler. Romeo war sogar mindestens einmal sitzengeblieben, was bedeutete, dass sich bei ihm bereits so etwas wie Haare auf der Oberlippe zeigten. Dies und sein massiger Körperbau machten ihn in der gesamten Schule zu einer bekannten und furchteinflößenden Erscheinung.

Ich war aktuell in der zweiten Klasse und leider von unterdurchschnittlicher Größe, wenn auch für mein Alter eher kräftig. Das lag daran, dass ich seit dem Kindergarten eisern diszipliniert Fitnessübungen durchführte, nachdem es der dünnen Paula gelungen war, mich im Kampf um die Monsterpuppe niederzuringen.

Und falls ihr euch fragt: Ja, offensichtlich war ein 5-jähriges Mädchen, das sich auf körperliche Auseinandersetzungen vorbereitete wie ein Profiboxer, verhaltensauffällig. Dabei war ich stolz darauf, wie strategisch ich vorgegangen war. Da wir in unserem pazifistischen Intellektuellenhaushalt keinerlei Lektüre zum Thema Kriegsvorbereitung hatten, hackte ich die Kindersicherung am Rechner meines Vaters und meldete mich unter seinem Namen für das Online-Bootcamp eines ehemaligen Mixed Martial Arts Champions an.

Das Ganze flog natürlich irgendwann auf, unter anderem weil mein Vater mit Werbung für Proteinshakes, Boxsäcke und aus irgendeinem Grund auch für Handfeuerwaffen und die Dienstleistungen spärlich bekleideter Damen zugespammt wurde.

Aber bis dahin hatte ich bereits viel gelernt. Unter anderem Englisch. Aber das fiel nicht einmal auf; in dieser Phase weigerte ich mich wie bereits erwähnt mehrere Monate, auch nur ein Wort zu sprechen. Meine Eltern waren zu dem Zeitpunkt also so oder so schon einmal pro Woche mit mir bei einer Therapeutin, da waren meine besessenen Push-ups, Pull-ups und mein exzessiver Eier-Konsum nur ein Thema von vielen. Dass ich übrigens dann doch wieder irgendwann anfing zu sprechen, lag nicht an der Therapeutin, sondern hatte einen ganz anderen Grund. Ich erzähl euch das später, erinnert mich daran.

Jedenfalls war ich also mindestens so klein wie der kleine Klaus, aber deutlich stärker.

Nur auf keinen Fall stärker als die beiden Übeltäter zusammen. Ich zögerte also noch ein wenig, mich einzumischen. Und hoffte, es handelte sich nur um eine kleine verbale Attacke ohne Folgen.

Als aber Romeo seinen Kaugummi ausspuckte und dem kleinen Klaus in die Haare klebte, war der Zeitpunkt gekommen, einzugreifen. Außer mir würde das sonst niemand tun. Das hatte ich längst gelernt. Und bis ich Herrn Schulze von seinem Eis getrennt hatte, würde der kleine Klaus längst irgendwo plärrend in der Ecke hocken und sich weigern zu verraten, wer ihn so zugerichtet hatte.

„Lasst ihn in Ruhe!", befahl ich also laut und postierte mich direkt von Angesicht zu Angesicht mit Romeo, dem Anführer. Das war keine schöne Position. Aus der Nähe wirkte er nämlich tatsächlich noch schrecklicher. Zusätzlich zu dem Bartschatten unter seiner Nase platzten die ersten Pickel auf seiner niedrigen Stirn auf. Dreck klebte in den Falten seines Halses. Und als sich seine blutunterlaufenen Augen auf mich richteten, erschauerte ich.

Okay. Das klingt extrem dramatisch. Aber das war es auch. Ich hatte den berüchtigtsten Bösewicht der ganzen Grundschule herausgefordert. Das war noch nie geschehen. Und nun war ich bereit zu kämpfen bis zum Tod. Ich machte keine halben Sachen.

Also, wirklich, Leute, ihr braucht nicht zu lachen. Ich verstehe euch ja. Aber genau so war das für mich: Ich hatte keine Ahnung, was geschehen würde. Und ich rechnete im schlimmsten Falle damit, dass er mich umbringen würde. Das traute ich ihm deswegen ohne weiteres zu, weil ich das Menschen im Allgemeinen zutraute. Das wiederum beruhte auf meinen Beobachtungen: Schließlich war sich gegenseitig umzubringen eine der menschlichen Gewohnheiten, die sich durch alle Zeiten und Völker zog.

Genauso wie Prostitution.

Später sollte ich herausfinden, dass das gegenseitige Ermorden noch nicht gewohnheitsmäßig in Kindergärten und Schule stattfand, aber niemand hatte sich die Mühe gemacht, mich dahingehend aufzuklären.

Durch die Hand eines Ekelpakets namens Romeo auf dem Pausenhof zu Tode zu kommen – das gehörte zu Vorkommnissen, die ich als real einstufte.

Man könnte also sagen, umso mutiger war es von mir, ihn zu konfrontieren. Oder auch: umso dümmer.

Er jedenfalls brauchte eine Weile, um zu entscheiden, was er darüber denken sollte. Mir kam es vor wie eine Ewigkeit, während der er mich einfach nur anglotzte.

Gewiss gehörte schnelles Denken nicht zu seinen Stärken, aber das hatte er ja auch nicht nötig. Er verfügte über die natürliche Gabe einschüchternder Sprache.

„Verpiss dich!" War dann das, was ihm am adäquatesten erschien.

Ich hätte ihm wirklich gern den Gefallen getan. Ein Seitenblick auf den kleinen Klaus motivierte mich auch nicht gerade. Der verharrte einfach geduckt und mit laufender Nase der Dinge, die da kommen würden. Er gab kein besonders attraktives Objekt zum Beschützen ab.

Aber, ihr wisst ja, ich fühlte mich verpflichtet.

Es fiel mir nur sehr schwer, eine angemessene Reaktion zu finden. Ich hatte ohne Plan gehandelt, und mir fehlte im Gegensatz zu Romeo das überzeugende Vokabular für die Kriegsführung auf dem Pausenhof.

„Nein, ich werde mich nicht verpissen!" Das war immerhin ein Anfang.

Wir starrten uns weiter gegenseitig an. Inzwischen galt uns die gesamte Aufmerksamkeit der Umstehenden. Das spürte ich daran, dass der Geräuschpegel des Geplauders um uns herum stark abgenommen hatte.

Ich verabscheute das Gefühl, von hinten beobachtet zu werden. Aber jetzt fesselten mich die Blicke der anderen erst recht an meine Aufgabe.

„Du wirst dich verpissen!", fügte ich etwas lahm hinzu. Aber ich dachte, wenn ich sein Vokabular benutzte, machte ich mich ihm besser verständlich.

Die Stille um uns wurde noch stiller, so schien es.

Bei jemandem mit höherer Intelligenz hätte es möglicherweise funktioniert. Kein schulbekannter Rowdy erwartete, von einer zarten Zweitklässlerin gestellt zu werden. Der Überraschungseffekt hätte im Glücksfall dafür gesorgt, um genug Zeit zu gewinnen. Dafür, dass vielleicht doch noch der liebes- oder eistolle Herr Schulze auftauchte zum Beispiel.

Aber Romeo hatte zu wenig Fantasie, um überrascht zu werden. Er reagierte, wie er eben auf Herausforderer reagierte: mit Gewalt.

In meinem Fall hieß das, dass er mich ohne zu zögern einfach umschubste. Und ich fiel nicht nur rücklings auf den Boden, ich fiel in einen See der tiefroten, lodernden Wut.

Mist, jetzt bin ich in ein und demselben Kapitel bereits beim zweiten wichtigen Thema gelandet.

Das Erste war die Frage der Ehre und mein idiotischer Ernst dabei. Das Zweite nun war die Wut. Und meine Hilflosigkeit ihr gegenüber.

Kennt ihr Dr. Jekyll und Mr. Hyde? Bestimmt. Die von euch, die immer noch da sind, denen traue ich das jetzt einfach mal zu.

Trotzdem als Erinnerung: Dr. Jekyll war ein ziemlich kreativer Arzt, der ein Serum erfand, das ihn in ein Monster verwandelte. Natürlich endete das Ganze enorm tragisch, und ich habe auch keine Ahnung mehr, wie er überhaupt auf diese zweifelhafte Idee kam. Aber transferiert den Grundgedanken einfach auf Nette-Lily und Wütende-Lily.

Und geht weiter davon aus, dass ihr bis jetzt nur Nette-Lily kennengelernt habt. Ja, ihr dürft offen Zweifel daran vorbringen. Selbst die nette Version meiner selbst ist an den normalen Gesetzen der Höflichkeit gemessen wahrscheinlich nicht die Definition von Freundlichkeit. Aber sie versucht normalerweise, keine Leute umzubringen. Sie beleidigt sie nur. Und das meistens auch nur aus Versehen.

Wütende-Lily... nun, sie und Mr. Hyde wären gute Freunde geworden. Sogar Hulk hätte sie bestimmt verständnisvoll in den Arm genommen. Die Berserker würden sie nach ihrem Tod nach Walhalla bringen.

Ich kannte Wütende-Lily bereits flüchtig. Das heißt, sie war zwar immer mal wieder aufgetaucht und hatte vor allem meine Eltern und Geschwister terrorisiert. Ich erinnere an ausgewechselte Türen und ausgeschlagene Zähne.

Aber an jenem Tag in der großen Pause zeigte sie zum ersten Mal, wozu sie fähig war.

Es hatte mit ihr eine ähnliche Bewandtnis wie mit dem Schwindel: Ich wusste nicht genau, was es auslöste. Ich hatte keinerlei Macht darüber. Und es brachte mich in ärgerliche oder peinliche Situationen.

Was Wütende-Lily in besagtem Fall zum Vorschein brachte, war wenigstens klar: Ich landete also nicht ohne Schmerzen auf dem Boden, niedergestreckt von Romeos haariger Pranke. Damit hatte er die diplomatischen Verhandlungen abgebrochen. Und ich stand ihm und seinem Kampftrupp namens Pierre völlig allein gegenüber.

Der kleine Klaus blieb ein passives Opfer. Die anwesenden Mitschüler blieben passive Zuschauer. Ich war wütend auf sie alle.

Und auf Herrn Schulze.

Einen kurzen Gedanken verschwendete ich daran, wie ich ihm sein blödes Eis entriss, um es vor seinen Augen zu zertreten. Dann übernahm Wütende-Lily die Regie und ich hörte auf zu denken.

Es ging nun um Leben und Tod. Deswegen war auch das nächste, woran ich mich erinnern kann, der Geschmack von Romeos Wade und Blut in meinem Mund.

Und dass sich die Stille in vielstimmiges Geschrei verwandelt hatte.

Am lautesten vernahm ich ein schrilles Kreischen direkt über mir. „Nehmt sie da weg, nehmt sie weg!"

Es dauerte ein bisschen, bis ich begriff, dass es Romeo war, der da panikerfüllt mich meinte.

Als Nächstes griffen Hände nach mir und zogen und zerrten. Da ich davon ausging, dass es sich dabei um weitere Feinde handelte, biss ich noch fester zu und begann dabei wild um mich zu treten. Das vielstimmige Geschrei steigerte sich, besonders Romeo lief zu ungeahnten stimmlichen Leistungen auf.

Aber irgendwem gelang es tatsächlich, die Wade meinen Zähnen zu entreißen, und mich aufrecht hinzustellen.

Es war, als würde ich aus einem Alptraum in einem neuen Alptraum erwachen. Es fiel mir schwer, auf meinen eigenen Beinen zu stehen, und ich wankte ein wenig. Etwas Warmes, Nasses lief mir übers Kinn und tropfte zu Boden.

Es dauerte noch mal einen Augenblick, bis ich erkannte, dass es sich dabei um Blut handelte. Romeos Blut.

Mein Blick wanderte über die unzähligen entsetzensstarren Gesichter, die einen Kreis um mich bildeten, bis ich Romeo gefunden hatte. Er saß auf dem Boden, hielt sich das Bein und sah alles andere als einschüchternd aus.

So etwas wie Triumph stieg in mir auf. Ich spuckte das

aus, was ich noch im Mund hatte, also einen Schwung Blut und irgendwas Festes, wahrscheinlich ein Stück Haut. Dann konnte ich wieder sprechen.

„Du schmeckst widerlich, Romeo!", stieß ich etwas atemlos aus.

Diesmal war es ein vielstimmiges erschrockenes Raunen, das um mich herum aufebbte.

Ich spürte eine Hand auf meiner Schulter, schlug sie weg und fuhr herum. Hinter mir stand Herr Schulze und blutete auch. Aus der Nase.

Sein Blick war genauso erschrocken wie der aller anderen. Nicht mal der kleine Klaus freute sich über die Demütigung seines Peinigers. Er starrte mich auch an und heulte dabei.

Ich bereute es extrem, ihn gerettet zu haben.

Aus irgendeinem Grund war ich die Einzige gewesen, die sich für Gerechtigkeit und Frieden eingesetzt hatte, und nun war ich die Einzige, die angesehen wurde, als wäre sie ein Monster.

Tja. Damals hatte ich eben noch keine Ahnung, dass ich genau das war: ein Monster. Und ihr wisst ja, was mit Monstern geschieht: Sie müssen sterben. Also wird das hier doch noch ein Happy End geben.

Bis dahin aber hält sich die kleine 14-jährige Lily noch für die Gute in der Geschichte. Die unverstandene Heldin, die eine Weile leidet, bis die Erlösung naht.

Wieso man jedoch so fassungslos blöd sein kann, zu glauben, dass die Erlösung in Gestalt eines 15-jährigen Jungen daherkommt, verstehe ich auch nicht. Selbst wenn er so aussieht wie Legolas.

Sieben

Zurück nach Norwegen also. Könnt ihr meinen ganzen Zeitsprüngen noch folgen? Weil, andauernd werfen mir Leute vor, ich wäre sprunghaft. In dem, was ich so erzähle. In dem, was ich so tue.

Das ist natürlich Quatsch. Ich folge immer einer stringenten Logik meiner Gedanken. Weil ich die aber nicht ständig allen mitteilen kann, entgeht diese Logik unter Umständen meiner Umwelt. Also, eigentlich ständig. Aber wir hatten es ja bereits über die Unzulänglichkeit von Sprache als Kommunikationsmittel. Okay, ich hatte es davon. Und ihr wartet bestimmt schon wahnsinnig gespannt auf meine Ausführungen dazu.

Ja, das war Ironie. Mir ist schon klar, dass sich kaum jemand so für die Feinheiten von Sprache interessiert.

Aber momentan halte ich ja einen einzigen ewigen Monolog, ohne dass mich jemand unterbricht. Da werde ich einfach ab und zu nicht der Verlockung widerstehen können, in Gefilde abzuschweifen, die mich begeistern. Und sonst wohl niemanden.

Nur, wer weiß, was sich unter euch alles so für Charaktere rumtreiben. Inzwischen dürften eigentlich nur noch die übrig sein, die es überlebt haben, dass ich ein bisschen Gott und die Welt beschimpfe. Also die mit Hirn und der Absicht, es zu benutzen. Dann wird doch wenigstens einer dabei sein, der verdammt noch mal nicht gleich weiterblättert, wenn es mal nicht um den üblichen Teenager-Kram geht, oder?

Und prompt hab ich einen Beweis für meine Sprunghaftigkeit geliefert, Entschuldigung. Denn dieses Kapitel wollte ich ja wieder Norwegen widmen.

Das tue ich jetzt dann auch. Und damit willkommen

zurück in Norwegen beim üblichen Teenager-Kram.

Ich saß also fürs erste mit einer Lotta und einer Luna in einem abgenutzten Zimmer herum und hatte dennoch gute Laune.

Wahrscheinlich seid ihr jetzt schockstarr vor Erstaunen, dass ich überhaupt zu so was fähig bin. Also gute Laune zu empfinden.

Aber dann wundert euch ruhig noch ein wenig mehr. Ich habe ständig gute Laune. Nur niemals für besonders lang. Es sind sozusagen kurze Gute-Laune-Funken, die in hoher Frequenz aufglühen. Denn schon Kleinigkeiten können mich herzzerreißend glücklich machen. Der Duft von warmem, nassem Asphalt und feuchten Rosenblättern zum Beispiel. Das ist eine Mischung, die lässt mich innerlich aufjubeln. Oder der Anblick eines Eichhörnchens, das vor Schreck seine Nuss fallen lässt. Oder der Vorspann von „Herr der Ringe", wenn ich genau weiß, dass ich jetzt die nächsten drei Stunden in Mittelerde verbringen werde. Oder der Moment, in dem der Postbote mir das Paket überreicht, in dem alle Bücher von einem bekannten Kriminologen sind, weil ich es mal wieder geschafft habe, mich in das Prime Konto meines Vaters einzuloggen. Oder wenn ich erschrocken erst um 09:00 Uhr aufwache und befürchte, ich habe verschlafen, und mir dann einfällt, dass es Samstag ist. Oder wenn meine Zwillingsbrüder beide sekundensynchron unisono losheulen, weil ihr Fußballverein verloren hat.

Oder eben, wenn mich Finn in den Arm nimmt.

Letzteres jedoch hielt im Gegensatz zu allem anderen sehr viel länger an. Normalerweise war ich immer einen minimal winzigen Augenblick außer mir vor guter Laune, bevor mir wieder einfiel, wer ich war, wo ich war und dass das für immer so bleiben würde.

Also Lily auf diesem beschissenen Planeten.

Aber diesmal wollte dieses enorme Glücksgefühl einfach nicht erlöschen.

Wenn ich den Vergleich bereits gekannt hätte, hätte ich es mit einem Drogenrausch verglichen. Noch war ich zu unschuldig für derartige Erfahrungen. Nein, falsch. Unschuldig war ich nicht mehr gewesen seit dem Zeitpunkt meiner Geburt. Unerfahren dürfte es besser treffen.

Es erinnerte mich aber tatsächlich an die Hochzeit meiner Tante Johanna, als wir Kinder uns frei an der Bar bedienen durften. Meine Brüder und ich kippten Cola, so viel wir konnten, weil uns das zuhause verboten war. So nach der achten Flasche fühlte ich mich auf einmal ganz leicht und musste ständig lachen. Keine Ahnung, ob das an einer Überdosis Zucker oder Koffein lag.

Aber genau so fühlte sich mein Zustand gerade an.

Das war äußerst verwirrend, weil ich fest geplant hatte, die drei Wochen im Straflager mürrisch, verbissen und voller Schwindel-Attacken irgendwie zu überleben.

Ich mochte es nie, wenn meine Pläne durcheinandergerieten. Diesmal mochte ich es. Weil ich gerade alles mochte. Ich mochte sogar verflucht noch mal die unsägliche kleine Luna. Obwohl sie sich ohne Vorwarnung neben mich auf mein Bett plumpsen lies und dabei eine widerliche Duftwolke nach Räucherstäbchen und Angst in meine Richtung wedelte.

So ganz nebenbei fiel mir dabei erst auf, dass sie tatsächlich noch mehr Panik als ich hatte. Es war leicht, das am Geruch einer Person zu erkennen. Angst und Stress outeten sich durch beißenden Gestank, der mich manchmal fast umhaute. Ich verstand sehr gut, warum Hunde ängstliche Menschen erkannten und vorsorglich gleich mal anbellten oder bissen.

Ich verstand nicht, warum andere Menschen so überhaupt nicht darauf reagierten.

Nach Angst stinkende Menschen lösten in mir den Impuls aus, wegzurennen.

Stellt euch mal vor, wie es mir in einem Klassenraum kurz vor der Mathearbeit geht. Richtig. Nicht gut.

Aber die kleine Luna schaffte es schon ziemlich prima ganz allein, die Luft mit ihren psychischen Problemen zu verpesten.

Und, jetzt kommt es: Ich mochte sie dennoch. Und hatte immer noch gute Laune. Und dann setze ich noch einen drauf: Obwohl ich mir damit selbst eine wahnsinnige Angst einjagte, war es mir gleichzeitig gleichgültig, dass ich offensichtlich nicht mehr richtig funktionierte.

Das wiederum machte mir noch mehr Angst. Und daraufhin reagierte ich mit noch mehr guter Laune.

Ihr versteht das Dilemma?

Wahrscheinlich wäre ich die nächsten fünf Stunden debil grinsend in diesem Kreislauf gefangen auf dem Bett gehockt, wenn mich Luna nicht abgelenkt hätte.

„Du bist das hübscheste Mädchen, das ich jemals gesehen habe!", sagte sie. Das schockierte mich genug, um mich aus meiner anderen Schockstarre zu lösen.

„Nein, ich bin unsichtbar!", entgegnete ich verärgert. Bevor mir bewusst wurde, dass sie versucht hatte, mir ein Kompliment zu machen.

Ich bin empfänglich für Komplimente. Wenn ihr mich erfreuen wollt, dann lobt mich ruhig. Dafür, dass ich immer noch „Auguries of Innocence" von William Blake fehlerlos auswendig kann. Dafür, dass ich zehn saubere Klimmzüge schaffe. Dafür, dass ich nur aus Gras und Ästen eine Falle für wilde Kaninchen bauen kann, die mit zahmen übrigens auch funktioniert, aber das solltet ihr nicht ausprobieren, weil man sich damit nur auch wieder Ärger einhandelt.

Aber, ich hatte es ja mal angedeutet, was mich völlig kalt lässt, sind Komplimente zu meinen biologischen Merkmalen. Für die habe ich nicht gekämpft. Für die habe ich nicht mal den kleinen Finger gerührt. Gemacht hat mich jemand anders.

Entweder Gott oder die Evolution. Und wollt ihr denen etwa dafür gratulieren, dass sie irgendwas so Unspektakuläres wie eine menschliche Lebensform hervorgebracht haben? Im Vergleich zu den unendlichen Wundern des Universums?

Ich setzte also dazu an, Luna einen entsprechenden Vortrag zu halten. Als mein Gehirn einen neuen, fremden Gedanken ausspuckte.

Möglicherweise war es unter den momentanen Umständen nicht der größte Fehler, hübsch zu sein, oder?

Also, diese Umstände, in denen Legolas, ich meine Finn, eine noch unklare, aber nicht unwichtige Rolle spielte?

In Überlichtgeschwindigkeit verarbeitete mein Gehirn alle spärlichen Informationen, die es zu romantiziösen Themen gesammelt hatte.

Und gleichzeitig schrie eine Stimme in meinem Kopf: Bist du irre? Wie kannst du es auch nur in Betracht ziehen, über so etwas nachzudenken? So etwas wie Verlieben machen wir nicht!

Sie klang ein bisschen wie Wütende-Lily, die versuchte, sich von ganz weit weg Gehör zu verschaffen.

Und nein; sorry, aber an alle, die jetzt einen Verdacht in diese Richtung hegen: Am Ende der Geschichte wird sich nicht herausstellen, dass ich unter einer multiplen Persönlichkeitsstörung leide. Das wäre das perfekte Ende, oder?

Lily stirbt, aber Lily ist nur der Teil in mir, der Probleme macht. Und danach kann mein anderes Ich, das in Wahrheit ganz nett und brav ist und einen netten und braven Namen wie Susanne hat, glücklich und zufrieden leben bis an sein natürliches Ende durch Lungen-Krebs, einen Herzinfarkt beim Masturbieren oder einen Unfall im häuslichen Umfeld beim Geschirrspülen.

Wäre das nicht raffiniert gelöst? Nein, wäre es nicht. Spätestens seit Fight Club ist dieses Szenario als in Frage kommendes Szenario gestorben. Dort war es brillant. Alles danach nur noch ein banaler Abklatsch.

Deswegen an alle: Alles was mit multiplen Persönlichkeiten zu tun hat ganz schnell wieder vergessen bitte!

Wenn ich sterbe, dann richtig. Keine erzählerischen Spitzfindigkeiten. Aber noch ist es nicht so weit. Noch nicht ganz. Geduld.

Halten wir uns noch ein bisschen in der Vergangenheit auf. Als ich neben der kleinen, dicken Luna auf dem Bett saß und Probleme hatte, meine Gedanken zu ordnen.

Dieses Vorhaben musste ich tatsächlich erst mal aufgeben. Ich war überfordert.

Also konzentrierte ich mich auf das Nächstliegende, oder in diesem Fall die Nächstsitzende.

„Du bist auch sehr hübsch, Luna", antwortete ich mit leichter Verzögerung. Ich beschloss einfach fürs erste, ihr Kompliment als das zu nehmen, was es höchstwahrscheinlich war: der typische Annäherungsversuch eines Mädchens an ein anderes Mädchen. So machten die das nämlich. „Ich mag deine Schuhe unheimlich gerne." „Deine Frisur ist ja der Wahnsinn, wie hast du das gemacht?" „Du bist das hübscheste Mädchen, das ich kenne."

Letzteres war genau so übertrieben, wie ich es von jemanden wie Luna erwartete. Denn es gab kaum ein anderes

Mädchen, das Luna jemals als Freundin haben wollen würde. Da musste sie schon extreme Schmeicheleien auffahren, um überhaupt nur ein Lächeln zurückzubekommen.

Dass ihr hingegen jemand sagte, sie wäre auch hübsch, hörte sie wohl zum ersten Mal.

„Echt?" Sie strahlte mich beinahe beängstigend an.

„Nein", könnte ich natürlich sagen, „das war gerade nur eine höfliche Floskel, die ich als Automatismus eingesetzt habe, weil meine anderen Gedankengänge zu kompliziert waren, um sie zu verbalisieren."

Aber ihre aufgerissenen, feuchten Augen, die mich so treuherzig anstarrten, lösten so etwas wie Mitgefühl in mir aus.

„Ja", bestätigte ich und angelte nach etwas, das keine Lüge war. „Deine Haare glänzen wie Gold. Wie bei einem Engel."

Ich fühlte mich sofort richtig mies. Gelogen war es nicht wirklich, aber der Engel war eine derartige dick aufgetragene Übertreibung, dass ich mich ein bisschen dafür schämte.

Natürlich hatte ich dennoch genau den richtigen Vergleich gewählt.

„Das sagt mein Onkel auch immer!", jubelte Luna. „Er kann deine Aura sehen und so, weißt du, und er hat ganz deutlich gesehen, dass ich in meinem letzten Leben ein Engel war!"

Kennt ihr das Gefühl, wenn ihr euch wünscht, eure Lippen wären zusammengenäht? Damit euch bloß nicht das rausrutscht, was ihr unter keinen Umständen sagen dürft?

Zum Glück für uns beide mischte sich da Lotta ein, die bereits damit beschäftigt gewesen war, ihren Schrank mustergültig einzuräumen.

„Wir müssen in genau zehn Minuten zum Mittagessen im großen Saal sein!", erinnerte sie uns und schwenkte das Programm, auf dem all unsere vergnüglichen und gemeinschaftsfördernden Aktivitäten der nächsten drei Wochen verzeichnet waren.

„Oh je", rief Luna sogleich bestürzt. „Hoffentlich haben sie noch rechtzeitig meinen Allergie-Zettel bekommen! Wenn ich Tomaten esse, kann es sein, dass ich sterbe!"

„Bitte, tu uns den Gefallen." Auch das hätte ich sagen können. Aber das wäre erstens absichtlich gemein gewesen. Was noch kein Grund gewesen wäre, es nicht zu tun. Aber zweitens hatte ich das sichere Gefühl, dass die Welt schon ausreichend gemein zu Luna war.

„Ich habe noch nie gehört, dass jemand von Tomaten gestorben ist. Außer sie waren vergiftet", bemerkte Lotta trocken. Das war witzig. Ich hatte sie als eher so gar nicht witzige Person eingeschätzt.

Ganz kurz fragte ich mich, inwieweit ihre Zöpfe und ihr Blüschen und ihr ernster Gesichtsausdruck ebenso eine Verkleidung darstellten, wie meine Unsichtbarkeit. Aber meine Arbeitsspeicher waren momentan mit anderen Problemen ausgelastet. Ich verschob Lotta und ihre Geheimnisse fürs erste in den Zu-erledigen-Ordner.

Jetzt galt es, sich mental auf das gemeinsame Mittagessen vorzubereiten.

Soll ich jetzt auch noch das Thema Essen schnell dazwischen packen? Denn ein Thema für sich ist das eigentlich schon. Und jetzt hört doch mal auf mit euren Verdächtigungen. Nein, ich leide auch nicht an einer Essstörung. Klar, das liegt ebenfalls ziemlich nah, ein Mädchen mit

Problemen in meinem Alter... das flüchtet sich gern in die Magersucht. Und es wäre ja auch möglich, dass ich momentan von meinem Klinikbett aus mit euch spreche. Völlig ausgezehrt, ein Gerippe, nur noch durch faltige Haut zusammengehalten. Die letzte Kraft gesammelt, um euch meine Geschichte als Warnung zu erzählen.

Ihr Dramatiker.

Dabei wäre Anorexia jetzt weniger abwegig als eine dissoziative Identitätsstörung. Letzteres braucht ein enormes Trauma in früher Jugend. Und ich bin so behütet aufgewachsen wie im schwedischen Bilderbuch.

Und Ersteres entwickelt sich vor allem bei Jugendlichen mit enormem Ehrgeiz und dem starken Bedürfnis nach Kontrolle über das eigene Leben.

Ich kann das gut nachvollziehen. Ihr werdet mit so vielen Erwartungen überfrachtet, seid so fremdbestimmt. Jeder, der sich einen Teil Selbstbestimmung zurückholt, indem er wenigstens den eigenen Körper kontrolliert, bekommt von mir eine mentale schwesterliche Umarmung des absoluten Verständnisses.

Wenn ihr aber nur hungert, um dem gängigen Schönheitsideal zu entsprechen, dann tut das bitte nicht. Ihr werdet hässlich durch die Magersucht, und das ist ja das Letzte, was ihr wollt. Ach, tut es einfach gar nicht. Ich verstehe zwar den Wunsch, sich zu Tode hungern zu wollen, aber letztlich ist es dumm. Denn was passiert, wenn ihr hungert?

Ihr werdet schwach und schwächer? Und wer hat davon was? Nur eure Feinde. Wenn euch die Welt ankotzt, dann sorgt dafür, dass ihr stark werdet und gegen das kämpfen könnt, was euch ankotzt. Ihr Magersucht-Mädchen habt so viel Disziplin und einen eisernen Willen, setzt den doch lieber für was Sinnvolles ein. Es ist eine Vergeudung von echt viel Potential, wenn ihr euch einfach aus

Trotz umbringt.

Genug gepredigt. Eigentlich ist es mir auch scheißegal, was ihr tut.

Fakt ist: Ich bin mit nicht der geringsten Spur von Selbstdisziplin gesegnet. Ehrgeiz ja, eiserner Wille, oh ja, aber nur in bestimmten Momenten und niemals über Monate oder Jahre hinweg.

Und das ist der einzige Grund, warum ich es nie bis zur ordentlichen Anorektikerin geschafft habe. Denn zum Essen an sich habe ich ein schwieriges Verhältnis. Meine Eltern nennen es „Verwöhnt". Aber das ist für sie die Standarderklärung für einige meiner Verhaltensweisen. Ich habe sie etliche Male darauf hingewiesen, dass sie damit ja die Schuld für meine Makel ihrer eigenen Erziehung zuschieben und sich damit jeder Grundlage berauben, mit mir schimpfen zu dürfen.

Daraufhin schimpften sie über meine Frechheit. Was ich wiederum ihrer laschen Erziehung anlasten konnte. Was dann letztendlich darin endete, dass ich auf mein Zimmer geschickt wurde, wo ich als letztes Argument meine Türe so zuknallte, dass, ihr erinnert euch, das Schloss mehrfach gewechselt werden musste. Ihr könnt euch also vorstellen, wie oft es zu derartigen Diskussionen zwischen den Generationen bei uns kam.

Tatsächlich versuchte ich es eine Zeitlang sogar mit Essensverweigerung, weil ich gelesen hatte, dass dies ein gängiger Hilferuf für Mädchen meines Alters wäre.

Und oh Mann, was habe ich Ewigkeiten lang verzweifelt auf meinen Knien auf Hilfe von irgendwoher gefleht.

Mit Essensverweigerung handelte ich mir nur den Vorwurf ein, dass ich damit ausschließlich das Ziel verfolgte, meiner Mutter noch mehr Kummer zu bereiten.

Also ließ ich es wieder bleiben. Ziemlich erleichtert,

ehrlich gesagt. Denn, wie gesagt, mein Verhältnis zum Essen war ein schwieriges.

Aber das bedeutete, dass es neben tausend Nahrungsmitteln, vor denen mir grauste, drei oder vier gab, die ich beinahe so dringend zum Überleben benötigte wie Luft.

Das Hauptproblem dabei bestand darin, dass diese bestimmten Lebensmittel ständig wechselten.

Als ich in Norwegen ankam, lebte ich gerade vorübergehend hauptsächlich von Rosinen, Grießbrei und Spinat.

Also nicht in der Kombination. Aber mindestens eines davon sollte eigentlich Bestandteil einer jeden Mahlzeit sein, die ich zu mir nahm. Jetzt hätte ich natürlich eine Familienpackung Rosinen einpacken können, um ein paar davon über jede Speise zu streuen, die uns hier aufgezwungen werden sollte. So widerlich das klingt, es hätte funktioniert.

Aber dabei standen mir zwei Gründe im Weg: Zum einen bestünde die Gefahr, meine Unsichtbarkeit zu verlieren, wenn ich mich sonderbar verhielt. Zum anderen gab es da meinen Stolz: Ich wollte nicht unnötig sonderbar sein. Es geschah mir oft genug, dass man mich sonderbar fand, ohne dass ich nur eine Ahnung hatte, warum.

Mit 14 Jahren hatte ich wenigstens einige Faktoren ausfindig gemacht, die mich stigmatisierten. Und die versuchte ich zu kontrollieren.

Wie den Filter zwischen Denken und Sprechen. Na ja, der würde den meisten Menschen nicht schaden. Aber die wenigsten Menschen schafften es so zielstrebig wie ich, dermaßen intensiv unangebrachtes Zeugs auch nur zu denken.

Mit dem Essen war es einfacher. Das geschah nur wenige Male täglich. Ich konnte mich mental drauf vorbereiten, wie ich es gerade tat.

Und ich konnte mich zwingen, beinahe alles hinunter-zuschlucken, auch wenn es Würgereiz in mir auslöste.

Dabei hatte diese Vorstellung nicht dazu beigetragen, mich auf die drei Wochen Ferienlager zu freuen.

Aber dann geschah ein Wunder. Also eines, das auf mindestens einer Stufe stand mit dem Wasser in Wein Ver-wandlungskram, auf den viele so abfahren.

Als ich nämlich zusammen mit meinen Schicksals- und Zimmergefährtinnen den Speisesaal betrat und Finn bereits dort im Kreise seines Zirkels sitzen sah, verlor alles, was mit Essen zu tun hatte, jegliche Bedeutung. Wenn meine Eltern davon erfahren hätten, wären sie wahrscheinlich durchgedreht. Seitdem ich feste Nahrung zu mir nehmen konnte, hatte ich sie mit meinen Eigenheiten gequält. Und nicht mal die Therapie während meiner Grundschulzeit hatte was daran zu ändern vermocht.

Und da musste ich nur so einen Typen sehen, und der Spuk war vorbei.

Okay, ihr ahnt es wahrscheinlich schon. Natürlich war das keine Spontanheilung für immer und ewig. Es sollte tat-sächlich nur so lange anhalten, bis mein hormoneller und emotionaler Grundzustand wiederhergestellt war.

Aber für den Augenblick machte es die Leichtigkeit in mir noch leichter: Der ewige Fluch der Nahrungsaufnahme war unverhofft von mir genommen worden.

Das war eine Art von Magie, die mir fremd war.

Aber es war Magie. Ich wollte ja unbedingt an Magie glauben, weil es die Welt viel spannender machen würde. Gleichzeitig seufzte ich über den Hang der Einfältigen, al-les, was sie nicht verstehen konnten - also eine ganze Menge - mit Übersinnlichkeit zu erklären.

An diesem Samstagmittag jedoch war es ein klares und eindeutiges Wunder, dass ich in einem fremden Land zwischen lauter fremden Leuten saß und dennoch fröhlich so etwas Ekelerregendes wie Nudeln mit Bolognese in mich hineinstopfte.

Acht

Nicht nur das Essen wurde bei einem christlichen Ferienlager für Jugendliche exakt geplant. Wir hatten einen Speiseplan für jeden einzelnen Tag, wobei eigentlich nur das Mittagessen variierte. Morgens gab es entweder Früchtemüsli (mit Rosinen) oder Cornflakes mit Milch, Brötchen mit Käse, Wurst, Honig oder Nutella, Orangensaft und Früchtetee.

Abends das gleiche wie morgens, nur ohne Früchtemüsli, Cornflakes, Honig oder Nutella, dafür mit einer zusätzlichen Tomate oder Gurke.

Und mittags produzierte die Küche eben das, was sinnvoll war für einen Haufen Leute und ein begrenztes Budget.

Wenn wir Tagesausflüge unternahmen, gab es Vesperpakete, die sogar diverse Schokoriegel und Apfelschorleflaschen enthielten. Ansonsten konnten wir uns besagte Schokoriegel und anderen Knabberkram auch zusätzlich von unserem Taschengeld kaufen. Wobei tatsächlich eine Strichliste geführt wurde, damit keiner auf die Idee kam, sich ausschließlich davon zu ernähren und die Hauptmahlzeiten ausfallen zu lassen.

Soweit der Ausflug in kulinarische Gefilde. Man sieht, Brigitte und ihr Team waren ernsthaft bemüht, sich um unser Wohlergehen zu kümmern.

Das beinhaltete selbstverständlich nicht nur unser körperliches, sondern vor allem unser seelisches Wohl.

Schließlich lag der Schwerpunkt bei diesem Camp auf Jugendlichen mit problematischen Hintergründen. Diese waren, wie es sich herausstellen sollte, bei jedem völlig unterschiedlich gelagert.

Wir bildeten also eine heterogene Masse an Komplikationen, die durch ein durchdachtes Programm an Leibes-

und Geistesertüchtigungen zusammengehalten werden sollte.

Bis zu einem gewissen Grad funktionierte es sogar. Was aber vor allem daran lag, dass niemand Zeit hatte, auf dumme Ideen zu kommen, weil es ständig irgendwas zu tun gab.

Geläutert wurde niemand, meiner Beobachtung nach. Obwohl Brigitte es unermüdlich versuchte.

Und ich machte einfach alles mit, ohne groß zu zicken. Na ja, das hatte ich schon auch so geplant. Ich hatte nur nicht damit gerechnet, dass es mir so leichtfallen würde.

Die ersten paar Tage verstrichen ereignislos.

Wir verbrachten die Zeit damit, die Gegend zu erkunden. Die war wunderschön, wie natürlich der Rest von Norwegen auch. Hatte ich bereits erwähnt, dass Norwegen wirklich ein großartiges Land war? Wir hatten unsere Unterkunft direkt an einem See inmitten vom grünen Nirgendwo.

Das war wahrscheinlich besser so, weil wir keine guten Nachbarn abgegeben hätten. Wir waren laut. Also, die anderen waren laut.

Denn wir spielten ununterbrochen sinnlose Kennenlernspiele, und Lukas spielte abends auf der Gitarre am Lagerfeuer. Und wir mussten mitsingen.

Lieder von Kameradschaft und Gottes herrlicher Welt. Lukas glaubte alles, was er sang, deswegen war sein Gitarrenspiel ungelogen schön. Er tat mit trotzdem sehr leid. Und weil ich immer noch ein schlechtes Gewissen hatte wegen unserer Begegnung am ersten Tag, tat ich so, als hätte ich Spaß am Singen.

Luna hatte ganz aufrichtig Spaß daran. Sie kannte jedes einzelne Lied beinahe auswendig, und ihre Stimme war gar nicht mal so übel. Normalerweise saß ich neben ihr am

Lagerfeuer, was praktisch war, weil sie mich dadurch immer übertönte.

Und ich konnte in der Zeit Finn beobachten.

Gleich nach unserer Ankunft hatten sich die üblichen Gruppen gebildet. Das funktionierte nach einem gültigen Naturgesetz.

Und Finn und ich gehörten nicht in die gleiche Gruppe. Deswegen hatten wir seit unserer Ankunft eigentlich kein Wort mehr gewechselt. Aber ab und zu ein Lächeln. Und das genügte mir schon.

Besonders beim allabendlichen Gesinge schaffte ich es manchmal, einen Blick von ihm zu erwischen. Von allen dämlichen Spielen, die wir so absolvierten, war dies das beste.

Und eigentlich genügte mir diese Art von Kontakt bereits. Dabei konnte ich nicht viel falsch machen. Und es reichte aus, um die Leichtigkeit zu behalten.

Gleichzeitig freundete ich mich zu meiner Überraschung ziemlich gut mit Lotta an. Also so gut eben, wie es für mich machbar war. Die kleine Luna hing zusätzlich an uns dran, ein dauergewelltes, ewig plapperndes Kleinkind, um das man sich ständig kümmern musste.

Und obwohl ich immer noch nicht kapiert hatte, dass ich bereits Hals über Kopf in Finn verknallt war, kriegte ich doch mit, dass Luna genau dasselbe mit dem Gitarre spielenden, Outdoor-Hemd-tragenden, viel zu idealistischen Lukas passiert war.

Sie himmelte ihn dermaßen an, dass es nicht nur ich, sondern wirklich jeder mitkriegte.

Das Schauspiel, das sie dabei abzog, bot kurzweilige Unterhaltung für das gesamte Camp.

Ihr seht, es war alles andere als so übel wie in meinen Befürchtungen bei der Abfahrt. Es war tausendmal übler.

Das weiß ich aber erst jetzt, wenn ich so zurückblicke.

Ist euch klar, dass Hoffnung eines der grausamsten Dinge in unserem Universum ist? Die Leute klammern sich an die Hoffnung, als könnten sie von ihr gerettet werden. So was macht diese Schlampe aber nicht. Sie flüstert mit süßer Stimme Versprechungen und zeigt euch die Bilder, die ihr euch ersehnt. Und gerade dann, wenn ihr zu glauben beginnt, dass vielleicht doch alles gut werden könnte, lässt sie euch los. Und ihr fallt in einen bodenlosen, eisigen Abgrund, ihr höhnisches Gelächter im Ohr.

Und trotzdem vertraut ihr immer wieder darauf, dass sie euch dieses eine Mal nicht im Stich lassen wird.

Natürlich ist sie raffiniert und erfüllt euch ab und zu eure Wünsche; damit hält sie euch ganz ausgezeichnet bei der Stange.

Aber man sollte denken, irgendwann hättet ihr dieses gemeine Spiel durchschaut. Ich musste lange darüber nachdenken, warum ihr es nicht tut.

Die Antwort ist schlussendlich leider leicht. Lieber erlebt ihr eine Enttäuschung nach der anderen, als die Welt und euch selbst so zu akzeptieren wie sie ist. Weil es nur so erträglich für euch wird. Glaubt ihr. Und erleidet damit einen ordentlichen Trugschluss.

Ihr ertragt zum Beispiel den Gedanken nicht, dass ihr der kleine Klaus seid, nur so als Beispiel. Die äußeren Umstände haben euch eben dazu gemacht, ohne dass ihr eine Wahl gehabt hättet: Hineingeboren in eine bestimmte Familie, die euch schon mal rein biologisch eine winzige Statur und Kurzsichtigkeit vererbt. Das alleine wäre noch keine Katastrophe. Ihr hättet ja als Ausgleich einen brillanten Verstand dazubekommen können. Oder Eltern, die euer musikalisches Talent erkennen und fördern, so dass ihr im Alter von 12 Jahren bereits jeden Jugend-Musiziert-

Wettbewerb als Solo-Violinist gewinnt. So Dinge, die euch Selbstvertrauen verleihen eben.

Ihr hattet aber Pech. Zu oben genannten körperlichen Defiziten kommt noch ein Vater hinzu, der Alkoholiker ist, und eine chronisch überforderte Mutter, die euch behandelt, als wärt ihr nur ein Störfaktor mehr in ihrem schrecklichen Leben.

Also entwickelt ihr bereits eine frühkindliche Bindungsstörung und damit einhergehende psychische Probleme, die euch zu dem machen, was ihr mit sieben Jahren bereits seid und für immer sein werdet: Der kleine, hilflose Klaus in einer gefährlichen Welt. Dazu kommt dann noch, dass ihr nicht mal sympathisch seid. Sympathische Menschen sind das meist, weil es ihnen gut geht. So, wie ihr als kleiner Klaus aber aufgewachsen seid, entwickelt ihr auch noch unschöne Charaktermerkmale: Ihr lügt, weil euch andere Mittel fehlen, um euch zu schützen. Ihr sucht euch noch Schwächere, um euren Frust an denen abzureagieren. Ihr schaut Pornos, in denen Frauen gedemütigt werden, weil euch alle Mädchen immer ausgelacht haben. Und so weiter.

Und jetzt Bühne frei für Madame Hoffnung: Aus irgendeinem Grund hofft ihr dennoch ständig darauf, dass sich das alles ändert. Dass ihr irgendwann der Super-Klaus sein werdet, den alle mögen und bewundern.

Ihr lest so ein paar Bücher mit dem Titel: „Befreie dein Potential", „Du kannst sein, wer immer du willst", „Ewiges Glück und unermesslicher Reichtum in zehn Tagen".

Und dann habt ihr so ein Buch fertiggelesen und hofft. Und hofft umsonst. Weil gar nichts passiert.

Ihr kauft euch noch mehr Bücher. Besucht Seminare bei windigen Coaches. Lasst euch von noch windigeren selbsternannten Hypnotiseuren hypnotisieren. Ihr hofft.

Umsonst. Ihr ändert euren Kleidungsstil, arbeitet an eurer Ausdrucksweise, übt ein charmantes Lächeln vor dem Spiegel. Und hofft. Aber wozu: Innen drin bleibt ihr konstant und unwiderruflich der Kleine Klaus. Verkorkst. Makelbehaftet. Zum Scheitern verurteilt. Sicher ist das total unfair. Und sicher ist es verständlich, dass ihr euch wünscht, das wäre nicht so.

Aber solange ihr darauf hofft, dass ein Wunder geschieht, ändert sich gar nichts.

Wie wäre es, wenn ihr erst mal einfach den Status quo akzeptiert: Ja, ich bin ein körperlich und geistig schwaches Exemplar der Gattung Mensch. Ich habe eine ganze Reihe unangenehmer Charaktermerkmale entwickelt und kaum ein positives. Außerdem hatte ich auch nicht das Glück, in eine begüterte Familie hineingeboren zu werden, also gibt es nichts, was meine Defizite auffangen könnte.

So. Verliert dadurch nicht gleich das Leben einiges an Schrecken? Wird dadurch nicht ganz erleichternd offensichtlich, dass es keinerlei Hoffnung gibt?

Naja, falls euch das jetzt eher erschreckend vorkommt: Es gibt ja Möglichkeiten, das zu ändern, wenn es euch nicht gefällt. Aber erst mal müsst ihr euer ganzes Elend ganz ungeschönt erkennen und akzeptieren.

Und dann könnt ihr nach Wegen suchen, die euch da hinausführen. Die sind aber supersteinig, langwierig und kosten eure ganze Kraft und euren gesamten Willen.

Schon allein das Setzen von realistischen Zielen überfordert die meisten. Und dann ersetzen wir mal die vage Hoffnung durch die wissenschaftlichen Kenntnisse der Psychologie, insbesondere der Verhaltenstherapie. Seid ihr bereit, jahrelang mit einem erfahrenen Therapeuten daran zu arbeiten, eure falschen Programmierungen durch andere zu ersetzen? Nur um vielleicht irgendwann dazu in der Lage zu sein, wenigstens einen Job am Fließband in der Fabrik nicht gleich wieder zu verlieren und nicht sofort beim ersten Date als Verlierer abgestempelt zu werden?

Nicht so verlockend wie das, was euch die Hoffnung immer wieder so in Aussicht stellt, stimmts?

Aber beruhigt euch, ich hab extra ein bisschen negativ übertrieben, der Dramatik willen. Ich gehe fest davon aus, dass wirklich jeder fast alles erreichen kann. Nur: Der Preis dafür ist unter Umständen so hoch, dass ihr niemals bereit seid, ihn zu zahlen. Jahrelange Disziplin und Einsamkeit? Yeah, unbedingt, oder? Vor allem wenn es erst mal darum geht, als Vorbereitung darauf, jahrelang Disziplin zu entwickeln, weil euch diese Eigenschaft komplett abgeht.

Also, ihr habt vielleicht kapiert, warum eigentlich alle immer einfach darauf hoffen, dass irgendwie alles gut wird, anstatt die nötigen, mühsamen oder sogar brutal schmerzhaften Schritte dahingehend zu unternehmen, dass alles wenigstens ein bisschen besser wird.

Und ich wiederhole es noch einmal, weil es mir ein persönliches Anliegen ist: Selbsthilfebücher zählen nicht. Die suggerieren euch zwar, dass ihr an euch selbst arbeitet. Dabei helfen sie euch nur dabei, euch besser zu fühlen, weil ihr glaubt, ihr würdet an euch selbst arbeiten. Aber so lange etwas nicht weh tut, verändert sich auch nichts.

Wisst ihr, was mein persönliches Motto ist?

„Der Schmerz ist mein Freund."

Aber ich will nicht das glorreiche Thema der wunderbaren Schmerzen mit der räudigen Hoffnung in ein Kapitel packen.

Während der hellen, goldenen Tage im norwegischen Sommer nämlich hatte sich diese Hoffnung meine Hand erschlichen, an der sie mich nun als falsche Freundin herumführte.

Das ist mir so peinlich. Ja, ich war erst vierzehn, aber hey, das ist keine Entschuldigung für Dummheit. Ich meine damit jetzt nicht im Sinne von mangelnder Intelligenz. Sondern in dem Sinne, dass auch kluge Menschen manchmal so saudumm sein können.

Die Hoffnung flüsterte mir zu, ich könnte möglicherweise doch einfach ein normales Mädchen sein. Und ihre Stimme war süß wie klebrige Nougatpralinen.

Und ich meine ja nur: Da saß ich an einem Lagerfeuer, sang christliche Lieder, hatte eine Freundin, zwei, wenn man Luna dazurechnete, schaffte es, ohne Rosinen und Grießbrei regelmäßige Mahlzeiten zu mir zu nehmen und lächelte einem Jungen zu, der aussah wie Legolas.

Normaler geht doch wohl kaum?

Und wenn man einmal anfängt, der Hoffnung zuzuhören, dann fängt sie an, einen erst recht zuzulabern.

Sie zeigte mir eine Zukunft, in der ich es nicht mehr nötig hatte, unsichtbar zu sein. Eine Zukunft, in der mich diese neue Leichtigkeit überallhin tragen würde.

Gerade, als ich mir das so ausmalte, stupste mich Lotta von der Seite an. Sie machte mich nonverbal darauf aufmerksam, dass Luna schon wieder ein Stückchen näher an Lukas herangerutscht war. Jetzt konnte er nicht mehr in die Seiten greifen, ohne sie ständig mit seinem Ellbogen zu berühren. Also rutschte er wieder ein Stückchen weg.

Wir grinsten in uns hinein.

„Ich muss mal kurz auf Toilette", sagte ich und tat das dann auch.

Nur dass Finn bereits auf mich wartete, als ich aus dem Mädchenklo kam. Vor Schreck wäre ich fast wieder reingerannt.

„Zigarette?", fragte er und bot mir eine an.

„Klar", sagte ich unter Aufbietung all meiner geistigen

Kraft und nahm sie mit ziemlich zittrigen Fingern.

„Lass uns lieber kurz um die Ecke gehen, wenn sie mich das nächste Mal erwischen rufen sie meinen Alten an."

Wir versteckten uns hinter dem Flachbau mit den Sanitäranlagen. Dort wucherten Brennnesseln und Dornen, und die plattgedrückten Stellen verrieten, dass sich hier öfters heimliche Raucher herumtrieben.

Wir standen eng zusammen. Ich spürte die Wärme, die von ihm ausging, beinahe so intensiv wie vom Lagerfeuer.

Was wollte Finn von mir?

Vielleicht hatte er den Plan gefasst, sein altes Leben hinter sich zu lassen und mit mir zusammen in die wilde Natur Norwegens zu verschwinden, wo wir für immer in einer Höhle leben würden, fernab von solchen fürchterlichen Dingen wie Schule und Verwandtschaftsfeiern.

Ja, ihr erkennt es vollkommen richtig, ich hatte als Kind zu oft Ronja Räubertochter gelesen. Und Robinson Crusoe. Und Tarzan.

Und die blöde Hoffnung hatte ihre Chance wahrgenommen, mir gleich so die ganz abgefahrenen Fantasien zu versprechen. Weil der Teufel vergessen hatte, eine Grenze um meine Fantasie zu ziehen. Der Hurensohn.

„Sag mal, Lily... "

Ich hielt kurz den Atem an, was unklug war, weil ich gerade Rauch in der Lunge hatte. Aber jetzt würde er es aussprechen, irgendwas, das alles verändern würde.

„Warum hängst du eigentlich mit den beiden Opfern ab?"

Der ganze Rauch entwich mir wie eine kleine Explosion, als ich zusammenzuckte.

Mir war schon klar, dass er die anderen zwei L-Mädchen aus meinem Zimmer meinte. Aber es schien mir ein wenig grob, das so zu formulieren. Einen Moment lang war das der vorherrschende Gedanke.

Und dann, und das ist mir echt unangenehm zuzugeben, wurde dieser Gedanke von einem anderen beiseitegeschoben: Finn war der Meinung, ich gehörte nicht zu den Opfern. Was bedeutete, er fand, ich gehörte zu ihm.

Und das war es anscheinend, was ich als alleroberste Priorität gerade extrem unbedingt wollte: Zu ihm gehören.

Denn ich suchte nicht nach einer passenden Antwort, die ihm klarmachen würde, wie sehr ich die Einstellung verachtete, andere Leute so oberflächlich zu Opfern abzustempeln.

Ich suchte nach einem klugen, einfachen Satz, der unmissverständlich ausdrücken sollte, dass ich wirklich zu ihm gehörte.

„Ich musste halt mit denen in ein Zimmer", sagte ich lahm. Dann erinnerte ich mich daran, wie Finn gerade vor wenigen Minuten den Respekt vor einem Anruf bei seinem Vater aufgrund seines Fehlverhaltens zum Ausdruck gebracht hatte. Es schien einen also nicht zum Opfer zu machen, die Konsequenzen von Autoritäten zu fürchten. Der Grund dafür blieb mir eher unklar. Ich hatte es mir zwar inzwischen angewöhnt, Ärger mit den machthabenden Erwachsenen zu vermeiden, aber nur deswegen, weil es bequemer war. Aber egal. Es freute mich stets, dazuzulernen, was als normales Verhalten angesehen wurde.

„Und ich wollte nicht rumzicken, damit sie nicht gleich meine Eltern informieren. Mit denen habe ich schon genug Ärger."

Ich war echt stolz auf diesen Einfall. Er war nicht mal gelogen. Und er funktionierte ausgezeichnet.

Finn nickte düster. „Ja, scheiße, oder? Wenn es hier nicht gut läuft, schickt mich mein Alter im Herbst auf so ein beschissenes Internat."

„Das drohen mir meine Eltern auch immer wieder an!" Ebenso wenig gelogen. Sie drohten mir das tatsächlich auf regelmäßiger Basis an. Obwohl sie sich entrüstet dagegen wehren würden, das als Drohung zu sehen. Sie überlegten sich ein Internat als letzte Instanz für die Wiederherstellung meiner sozialen Kompetenz. Und als Rettung meiner in Schieflage geratener Schullaufbahn.

Ich atmete voller Erleichterung auf und ein bisschen mehr Rauch ein. Es gab Gemeinsamkeiten zwischen uns. Es war immer noch einfach, mit Finn zu kommunizieren.

Und ich vergaß Luna und Lotta einfach.

„Komm doch morgen zum Frühstück zu uns an den Tisch!" Finn schenkte mir eines seiner Lächeln, für die ich in Gedanken ein Fotoalbum angelegt hatte.

„Klar", antwortete ich wie hypnotisiert. „Das ist nicht illegal. Das kann nicht mal Brigitte bestrafen."

Er lachte. „Genau. Bis morgen."

Er sah so hübsch aus, und ich war so glücklich, inmitten von Brennnesseln mit ihm zu stehen und zu wissen, dass wir am nächsten Morgen an einem Tisch sitzen würden, dass ich mich vorbeugte und ihn auf die Wange küsste. Sie schmeckte salzig und roch gut.

„Bis morgen", sagte ich und ging beschwingt zum Lagerfeuer und Gitarre spielen zurück. Ich fühlte, wie Finn mir nachstarrte, aber diesmal verunsicherte es mich nicht.

Es war eines der wenigen Male seit langer Zeit, dass ich impulsiv genau das getan hatte, wonach mir zumute war, ohne dass es für den Rest der Welt falsch war.

Das fühlte sich verdammt gut an. Auch wenn der Rest der Welt momentan nur aus Finn bestand.

Neun

Falls ihr jetzt glaubt, ich hätte mich die folgende Nacht vor lauter Aufregung schlaflos in meinem Bett herumgewälzt, liegt ihr falsch.

Das Gegenteil war der Fall. Normalerweise war ich ein schlechter Einschläfer. Eine Armee an kunterbunten Bildern vom letzten Tag stürmte allabendlich die Fläche hinter meinen geschlossenen Lidern. Ich wurde von tausenden Gedanken, Ideen, Erinnerungen, Worten, Melodien und Gesichtern gepiesackt. Meine gewöhnliche Schlafhaltung bestand darin, dass ich auf der Seite lag, die Knie bis zum Kinn und das Kissen über den Kopf gezogen. Als könnte ich mich dadurch vor der Flut von Eindrücken schützen.

In der Nacht nach dem Kuss zwischen Unkraut und Zigarettenrauch aber herrschte nur eine warme Dunkelheit in meinem Kopf, die mich sanft auf den Rücken rollte und so mit ausgestreckten Armen und Beinen schlummern ließ wie ein Baby.

Ich schrie nicht mal im Schlaf. Das hatte ich anscheinend bisher nicht einmal getan, seit wir im Ferienlager angekommen waren. Luna und Lotta hätten sich sonst längst beschwert.

Luna und Lotta. Erst beim Anziehen, als wir das erste verschlafene Guten Morgen wechselten, fiel mir wieder ein, dass ich mit diesen jetzt gleich ein Problem haben würde.

Ganz selbstverständlich hatten wir jeden Morgen am gleichen Tisch unsere Plätze eingenommen. Luna hatte uns mit den Aufzählungen ihrer Allergien genervt, die anscheinend jeden Tag variierten. Und Lotta und ich hatten uns darüber ausgetauscht, welchen Doctor wir warum am liebsten mochten. Doctor Who war die TV-Serie, die uns verband. Und die zum Glück ausreichend Gesprächsstoff für hunderte von Frühstücken bot.

Luna durfte nicht fernsehen, glaubte aber an Aliens. Nämlich an diejenigen, die Menschen entführten, um an ihnen herumzuexperimentieren. Das brachte mich an einem frühen Morgen so zum Lachen, dass ich mein Müsli ausspuckte und über den gesamten Tisch verteilte.

Allein die Vorstellung, eine derartige primitive Lebensform wie die menschliche Spezies könnte von Interesse für weiter entwickelte Lebensformen sein, war sehr amüsant. Und zeugte von der grenzenlosen egozentrischen Arroganz der Menschheit. Noch war es nicht lange her, dass ihr dachtet, die Erde wäre der Mittelpunkt des Universums.

Wenn Luna von einem Engelswesen namens Natriel erzählte, das sich ihr hin und wieder zeigte, und sie beschützte, lachte ich nicht. Sie brauchte diesen Natriel, und ich würde ihn ihr nicht wegnehmen. Außerdem versuchte sie ihn ja bereits eifrig durch Lukas zu ersetzen, was zwar aussichtslos, aber schon mal ein guter Ansatz war.

Aber an diesem Morgen gab es schon gleich gar nichts zu lachen. Wir gingen durch die Kühle des neuen Tages den kurzen Weg zum Speisesaal hinüber, und mir fiel kein einziger guter Grund ein, mit dem ich mich von den beiden verabschieden konnte.

Also versuchte ich es erst gar nicht. Es war auch nicht mehr nötig, als ich Finn sah, wie er mir zuwinkte.

„Wir sehen uns später", schaffte ich gerade noch und eilte, jeden Anflug von schlechtem Gewissen längst vergessend, an die andere Ecke des Raums.

Dort fühlte ich mich erst mal eindeutig überhaupt nicht wohl. Es war fremd dort. Und mir dämmerte spontan und viel zu spät, dass ich Finn nicht für mich alleine haben würde, sondern gleich seine ganze Clique dazubekommen würde.

Das war ein Problem. Ich mochte sie alle nicht. Und ich wollte auch erst gar nicht versuchen, sie zu mögen. Mir war durchaus klar, dass ich für jeden Menschen ab einem bestimmten Punkt des Kennenlernens so etwas wie Sympathie fühlen würde. Doch, wirklich.

Ihr findet das jetzt schwer vereinbar mit dem, was ihr sonst so über mich wisst. Außerdem behandle ich euch die ganze Zeit wie einen Haufen Idioten. Das seid ihr ja auch. Aber ich finde auch Idioten unter Umständen okay. Das hatten wir doch schon. Ihr könnt ja nichts dafür.

Aber manche Idioten mochte ich lieber als andere.

Die hier mochte ich nicht. Natürlich hätte ich mich fragen können, warum Finn gerade mit solchen Gestalten sozialisierte.

Aber ich dachte ja für meine Verhältnisse momentan nichts.

Wir waren nun zu fünft an dem Ecktisch so weit entfernt wie möglich vom Betreuer-Zirkel. Natürlich. Das Pendent zur Rückbank des Busses.

Zum Glück brachte ich das Gleichgewicht nicht durch mein biologisches Geschlecht durcheinander. Davor war es eine Vierergruppe von drei Männchen und einem Weibchen gewesen. Entschuldigung. Ich tendiere immer noch dazu, in die Zoologie zu rutschen, wenn ich die sozialen Zusammenhänge von Menschen beschreibe.

Jedenfalls war mir bereits deutlich bewusst, dass es Unterschiede im Umgang miteinander gab. Mädchen waren generell extrem freundlich zueinander. Aber sie hassten generell alle anderen Mädchen, die gerade nicht in Hörweite waren. Jungs warfen sich dafür gegenseitig offen Beleidigungen an den Kopf. Aber sie redeten nie über andere Jungs, sondern nur über Musik, Gaming und vielleicht noch Sport.

Ich wäre eindeutig ein so viel besserer Junge als ein Mädchen.

Aber ich versuchte mein Bestes und lächelte, so mädchenhaft ich nur konnte, in die Runde.

Zwar war ich nicht mehr unsichtbar, aber an der Macht eines gezielten Lächelns hielt ich erst mal noch hartnäckig fest. Obwohl ich dieses Mal bereits deutlich fühlte, wie es mir nicht gelang.

Einen Moment lang passierte ganz viel: Ich bereute die Entscheidung, mich von meiner bisherigen Gruppe zu entfernen. Ich hatte ein schrecklich schlechtes Gewissen den L-Mädchen gegenüber. Ich hatte einen Anflug von der allertiefsten Müdigkeit und bereute es allgemein, geboren worden zu sein. Nur einen Anflug. Aber der haute mir das Lächeln aus dem Gesicht und mich allgemein beinahe um.

Inzwischen ist diese Müdigkeit chronisch. Deswegen ist der Gedanke, gleich zu sterben auch nicht schlimm. Es ist beinahe so, wie wenn man sich abends nach einem langen, katastrophalen Tag auf das Einschlafen freut. Um wenigstens eine Nacht lang Ruhe vor allen Problemen zu haben.

Nur dass für mich alle Nächte dieser Welt nicht mehr ausreichen würden. Der Unterschied besteht darin: Schlafen ist eine beinahe unmögliche Herausforderung geworden. Sterben ist einfach.

Ihr habt Angst davor, zu sterben. Ich habe Angst davor, zu leben.

Aber über die Angst erzähle ich jetzt nichts. Dafür ist es zu früh. Wir wollen uns doch die spannendsten Themen fürs Ende aufheben. Für das glorreiche, strahlende Happy End.

Kleine Info über mich gefällig, die euch wahrscheinlich schockieren wird? Selbstverständlich, ihr Stalker!

Also: Ich mag Happy Ends. Jetzt ist es raus.

Ich mag Happy Ends, weil die einen natürlichen Abschluss von menschengemachten Geschichten bedeuten. In allen Kulturen, in allen Ländern, bei allen Völkern existieren Märchen. Und was haben Märchen gemeinsam?

Richtig: Irgendeine Version von „und sie lebten glücklich und zufrieden bis ans Ende ihrer Tage".

Meistens wird davor jemand getötet, der es verdient hat: Die böse Hexe, der böse Drache, die böse Hydra oder das böse Alien.

Dann heiraten der Prinz und das Dienstmädchen oder die Prinzessin und der Schweinehirt. Und dann war es das.

Mehr wollen wir gar nicht wissen. Oder interessiert es jemanden von euch, wie sich Dornröschen und ihr Gemahl über die Aufteilung von Hausarbeiten streiten oder Odysseus seine Kinder beim Abendessen ständig mit seinen alten Geschichten nervt?

Na ja. Ich merke gerade, dass ich mich hier irgendwie irre. Ihr wollt ja anscheinend tatsächlich überhaupt nichts anderes mehr sehen als genau das. Menschen, die nichts weiter tun, als ihren gesamten bedeutungslosen Alltag vor euch in grenzenlos stupider Manier auszubreiten.

Ob es sich um hilflose Familien handelt, die sich ihr verwahrlostes Eigenheim vom pseudo-netten Fernsehteam renovieren lassen, oder um welche, die unbedingt öffentlich ihren Krempel verscherbeln wollen, oder um irgendwelche Nicht-Prominenten, die zwei Wochen in einem Container leben und denen man dazu zuschauen muss, wie sie auf dem Klo sitzen... Die grausame Banalität des Normalen scheint einen magnetischen Zwang auszuüben. Warum? Erklärt mir das doch bitte mal?

Ich bin gerade zu faul, um darüber nachzudenken.

Eine spontane Theorie hätte ich ja. Aber dabei würdet

ihr -wie immer- ziemlich schlecht dabei wegkommen. Und ich brauche euch doch noch eine Weile. Andererseits – inzwischen seid ihr es ja wahrscheinlich schon gewöhnt, von mir beschimpft zu werden. Vielleicht habt ihr ja sogar einen gewissen Gefallen daran gefunden. Das beschließe ich jetzt einfach mal.

Dann habe ich einen Grund, euch meine Theorie jetzt doch noch aufzudrängen.

Also: So ab und zu mag es ja wahnsinnig toll sein, Helden dabei zuzusehen, wie sie über sich hinauswachsen und die ganze Welt retten, speziell den Hundewelpen vor dem Überfahren, das Kind vor dem Ertrinken und die Frau vor der Vergewaltigung.

Die gesamte Filmindustrie baut darauf auf.

Aber ihr habt bereits zu viel davon gesehen. Und inzwischen ist euch klar geworden, dass ihr niemals dieser Held sein werdet. Alles was ihr drauf habt, ist es, euern eigenen kleinen Alltag auf die Reihe zu bekommen. Und meistens nicht mal das.

Ihr schämt euch für euer Versagen. Also verschafft es euch Befriedigung, anderen dabei zuzusehen, die genau die gleichen Loser sind wie ihr. Oder besser noch, nichts ist besser, als Leuten dabei zuzusehen, die es so richtig verkacken, bereits als Teenie schwanger werden, dauerhaft Hartz 4 beziehen, oder die denken, sie wären Promis und dafür Krokodilshoden essen.

In dem Fall fühlt ihr euch in eurer Existenz als absoluter Durchschnittsbürger auf einmal absolut überlegen und habt auf einmal auch absolut keinen Grund mehr, irgendwas an diesem beklagenswerten Zustand zu ändern.

Das hatten wir ja bereits ein paar Seiten vorher, falls ihr bereit seid euch zu erinnern: Der Preis, wirklich etwas an eurem langweiligen Leben zu ändern ist euch stets zu hoch.

Also wendet ihr euch ab von dem nicht erreichbaren Idol des strahlenden Helden, hin zu dem bedauernswerten Abschaum, dem ihr schon dadurch überlegen seid, wenn ihr regelmäßig den Müll rausbringt.

Aber das dürft ihr auch ruhig so handhaben. Die Welt wird nicht schlechter oder besser, wenn ihr euch nicht anstrengt, ein besserer Mensch zu werden.

Die Welt leidet so oder so unter der Existenz der Menschen.

Von daher wünschte ich, ich könnte es mir da so leicht machen wie ihr. Aber ich mache es mir nie leicht. Und ihr seht ja, wohin das geführt hat.

Am Frühstückstisch führte es dazu, dass ich mich ein bisschen hasste und alle anderen auch. Weil sie es mir unmöglich machten, eine perfekte Entscheidung für ein perfektes Verhalten zu treffen.

Ich hatte stattdessen so gar keine Ahnung, wie ich mit der Situation umgehen sollte und wurde rot. Und schämte mich. Ja, mal wieder.

„Du bist voll süß, wenn du rot wirst", flüsterte Finn in mein Ohr. Das war der erste Moment, wo ich ihn lieber geschlagen als geküsst hätte.

Die anderen sagten Hi oder so was und taten ansonsten so, als wäre ich gar nicht da. Was entspannend war. Ich holte mir mein Müsli und Orangensaft und beobachtete sie ein bisschen genauer als sonst.

Was ich dadurch erfuhr, führte nicht dazu, dass ich sie mehr mochte. Was ich in den nächsten Tagen zusätzlich erfahren sollte, würde auch nicht dazu beitragen.

Aber ich mochte Finn.

Nein, falsch. Er war für mich die leibgewordene Hoffnung, dass ich mit mindestens einem Menschen kompatibel sein könnte. Und ihr wisst ja hoffentlich noch, was ich euch über die Hoffnung, dieses Miststück, erläutert habe.

Wir frühstückten also zusammen. Ich, innerlich hin- und hergerissen zwischen Anspannung, schlechtem Gewissen und Glückseligkeit.

Wir verließen den Frühstückssaal Hand in Hand. Hatte ich es bereits erwähnt, dass ich andere Menschen nicht gern anfasste?

Jetzt war es die schlimmste aller Vorstellungen, seine Hand irgendwann einmal wieder loszulassen.

Ich habe ja schon von Anfang an die Befürchtung, ich kann mich euch einfach nicht verständlich machen. Weil das die übliche Reaktion von euch ist, wenn ich ein bisschen was aus meinem verdrehten Kopf ungefiltert zum Besten gebe.

Aber bei allem, was mit Finn zusammenhängt, bin ich mir sicher, dass ihr zustimmend nickt. Das bringt mich sogar ein wenig zum Lächeln gerade - dass wir so extrem verschieden sind, als stammten wir von unterschiedlichen Planeten.

Aber dass ihr wahrscheinlich alle mindestens einmal im Leben bereits exakt das gleiche Gefühl hattet, welches ich verspürte: In der bloßen Gegenwart eines anderen Menschen glücklich zu sein. Einfach so. Und Schmerzen zu verspüren, wenn diese Gegenwart einem genommen wurde, wie das Verlöschen eines Feuers in eisiger Nacht.

Es erstaunte mich zutiefst, wie machtlos ich dagegen war. Und wie sehr ich offensichtlich die Macht der Liebe unterschätzt hatte.

Nur, dass das zwischen uns natürlich keine Liebe war. Aber der Anfang von so irgend so was. Und ich werde da jetzt auch keine lakonischen Ausführungen bringen, wie Liebe nur das menschliche Konstrukt ist, um das Bedürfnis nach Fortpflanzung zu rechtfertigen. Und wie stabile

Partnerbindungen das Überleben der Brut verbessern. Weswegen wir eben doch nicht nur wahllos herumvögeln, sondern Beziehungen eingehen. All das könnte ich mit enormer Überzeugung und unzähligen Belegen darlegen.

Aber ich verspüre keine Lust darauf. Weil es total egal ist, sogar falls es stimmt.

Denn das, was wir fühlen, ist real. Egal, ob die Ursachen dafür biologisch, psychologisch oder spirituell sind.

Deswegen habe ich ja auch so viel Nachsicht mit euch. Für jeden von euch ist seine eigene winzige Welt, entstanden aus eurer beschränkten super-subjektiven Weltsicht, absolut real. Ihr kommt gar nicht, niemals, auf die Idee, dass die Art, wie ihr alles wahrnehmt, kein bisschen neutral ist und jeder andere in einer völlig anderen Welt lebt.

Aber hin und wieder überschneiden sich ja auch scheinbar sogar meine und eure Erfahrungen.

Wie zum Beispiel: Ich hielt Händchen mit einem Jungen, in den ich verknallt war, ohne es zu wissen, und zitterte dabei vor aufgeregter Freude.

Ich glaube, das ist der wahre Grund, warum sich alte Leute in ihre Jugend zurücksehnen. Diese allerersten Augenblicke einer unschuldigen Verliebtheit. Die gibt es nur einmal. Und ich verwende den Ausdruck „unschuldig" nun wahrlich nicht inflationär.

Aber in diesem Zusammenhang passt er. Leider.

Ich meine, da kam ich bereits als mit Zynismus und Misanthropie durchtränktes Baby zur Welt, und ganz unverhofft wurde ich zur dämlich grinsenden Tussi meines eigenen Disney-Films. Nur, na ja, ein Disney-Film, dessen blutiges Ende von Tarantino geschrieben wird.

Ein Ende, das die meisten weiblichen Charaktere aus besagten Filmen verdient hätten. Wie kann man nur als Vorbild für die gesamte mädchenhafte Weltbevölkerung dienen und hübsche Kleider und Hochzeiten mit reichen Männern als Ideal verkaufen?

Und das bescheuerte Rumgesinge verdient einen besonders grausamen Tod. Aber natürlich sind diese klischeehaften Frauenbilder nicht einfach das unüberlegte Konstrukt einer veralteten patriarchischen Weltanschauung.

Was glaubt ihr, wie sehr die Wirtschaft leiden würde, wenn Mädchen nicht von früh auf dazu getrimmt würden, sich unbedingt ständig hübsche Kleider kaufen zu müssen? Und Kosmetika. Und Haarfärbekram. Und auch, sich einen teuren Diamantring schenken zu lassen. Und so weiter.

Der Disney-Konzern, wie alle anderen Firmen der Filmindustrie, arbeitet mit allen möglichen anderen Konzernen zusammen, um einen Haufen Kohle zu scheffeln.

Das ist jetzt übrigens eine Verschwörungstheorie, die ich mir spontan ausgedacht habe. Gut, oder? Eigentlich ziemlich gut sogar.

Nur, weil ich keine Lust habe, weiter zu erzählen. Weil alles, was jetzt kommt... nee, eigentlich habe ich so gar keine Lust, mich da noch mal so deutlich daran zu erinnern. Aber ich habe euch versprochen, alles zu erzählen.

Und inzwischen vertraue ich euch sogar ein bisschen. Denn wenn ihr immer noch da seid – dann gehört ihr jetzt ein bisschen zu mir. Und ich bin nicht absolut allein gegen den ganzen Rest, wie immer. Danke, ihr Idioten.

Nach dem Frühstück hatten wir Team-Sport. Natürlich waren Finn und ich in einer Mannschaft. Und beim Mittagessen saßen wir wieder dicht zusammen, und ich erlitt die unerfreulichen Gespräche unserer Nebensitzer, ohne auch nur einmal zusammenzuzucken.

Nachmittags gab es eine Filmvorführung mit anschließender Diskussion, an der ich mich nicht beteiligte, weil ich so rein gar nichts von dem Film mitbekommen hatte.

Obwohl es, glaube ich, sogar eine interessante Thematik für mich gewesen wäre, weil es anscheinend um das Böse im Menschen ging.

Aber wahrscheinlich hätte ich sowieso meinen Mund gehalten, anstatt mal wieder das Christentum aufzumischen, das natürlich als Optimal-Lösung präsentiert wurde. Ja, ok, anscheinend hatte ich doch das ein oder andere nebenbei aufgeschnappt. Der Fluch der miesen Filterfunktionen.

Aber eigentlich war ich höchst konzentriert damit beschäftigt gewesen, Finns Hand zu halten, und die ersten echten Küsse mit ihm auszutauschen.

So schnell ging das auf einmal.

Ich weiß ja nicht genau, warum in Liebesfilmen ständig knutschende Menschen in Nahaufnahme gezeigt werden. Ich finde diesen Anblick leicht bis gewaltig ekelerregend.

Aber das selber auszuüben war überraschend gut.

Ich vergaß dabei sogar, dass das Küssen ein primitives Überbleibsel aus grauer Vorzeit war, in der Eltern ihrem Nachwuchs die vorgekaute Nahrung von Mund zu Mund weiterreichten. Weil, für die besonders Ungebildeten unter euch, es gab ja nicht schon immer Pürierstäbe oder Babynahrung im Gläschen. Und weil diese Mund-zu Mundernährung natürlich für den Nachwuchs der Inbegriff von Zufriedenheit war, führte er den Speichelaustausch als intimes Zuneigungsritual mit einem Gegenüber fort, bei dem er sich ähnlich wohl fühlte. Kennt ihr den Milchtritt bei Katzen? That's it.

Tut mir leid, wenn ich damit jetzt jede Romantik versaut habe. Nur: Mir war das alles schon mit 14 bewusst. Und ich genoss es dennoch.

Ich hinterfragte es auch nicht.

Und das Allerbeste:

Als ich abends nach dem Herumgesinge am Lagerfeuer, währenddessen Finn und ich uns eine Decke teilten, zerknirscht auf mein Zimmer schlich, erwartete mich kein eisiges Schweigen.

Im Gegenteil. Anscheinend wurde illoyales Verhalten unter Freundinnen absolut akzeptiert, wenn es um Jungs und verknallt sein und so ging. Zuerst war ich zutiefst erstaunt, bis mir wieder einfiel, dass der soziale Status von Weibchen ja in unserer Gesellschaft stark aufgewertet wurde, wenn sie mit einem Männchen liiert waren. Umso mehr, je mächtiger das Männchen war. Und nochmals Entschuldigung. Schon wieder die Zoologie.

Jedenfalls bestürmten mich Lotta und Luna mit begeisterten Fragen, sobald ich unser Schlafgemach betreten hatte. Da ich mich gegen einen Ansturm von Vorwürfen gewappnet hatte, fiel es mir schwer, darauf zu reagieren.

Aber es war äußerst praktisch. „Ja, ich bin total verliebt", bestätigte ich.

Wahrscheinlich war ich das tatsächlich, musste ich mir eingestehen. Aber noch wichtiger: Verliebt zu sein rechtfertigte offensichtlich jede Art von verrücktem und asozialem Verhalten.

Hätte ich diese Information doch nur früher besessen. Andererseits hatte ich den vagen Verdacht, dass ich damit im Kindergarten noch nicht durchgekommen wäre.

Es gab also auch Vorteile am Teenager Dasein.

Ich schlief die zweite Nacht in Folge so friedlich, als wäre ich ein glücklicher Mensch. Und erwachte viel zu früh, weil ich mich so auf den Tag freute.

Das war mir noch nie passiert. Na ja, ich freute mich wie alle anderen Kinder auch, wenn ich Geburtstag hatte oder gerade mal wieder Weihnachten war. Natürlich. Aber sogar an solchen besonderen Tagen erwachte ich mit dem Gedanken: Juhuuuu! Heute bekomme ich viele Geschenke! Und mein Lieblingsessen! Und meine Familie muss nett zu mir sein! Aber verdammt, ich muss trotzdem aufstehen und mit Leuten reden.

Ich kann mich ja sogar noch genau an den Tag im Kindergarten erinnern, an dem ich beschloss, es einfach nicht mehr zu tun. Mit Leuten zu reden, meine ich. Gewiss, die Gespräche mit Drei- bis Sechsjährigen waren auch besonders unerquicklich.

Sie lachten über wirklich unverständliche Fäkalienwitze, und zwar unverständlich aufgrund sowohl ihrer fehlerhaften Aussprache und des Inhalts. Sie hatten kein Interesse daran, die Babypuppe mit dem Krokodil aus dem Kasperletheater mithilfe von Tesafilm zu einem Mutanten zu machen, sondern zogen ihr tatsächlich einfach nur Kleider an und aus. Und nicht mal das kriegten sie richtig hin.

Sie hatten teilweise noch einen Schnuller dabei, weinten nach ihrer Mami und wollten bei den Erzieherinnen auf dem Schoß sitzen. Als ich ihnen vorschlug, eine Meuterei anzuzetteln, um die Qualität des Mittagessens zu verbessern, starrten sie mich nur mit großen Augen an. Und ich wusste nicht mal, ob das daran lag, dass sie das Wort Meuterei nicht kannten, keine Ahnung hatten, was Qualität bedeutete, oder ob sie einfach nicht gewillt waren, aufzubegehren.

In einem letzten verzweifelten Akt stellte ich mich für das Mutter-Vater-Kind-Spiel zur Verfügung, weil das anscheinend etwas war, das sie gerne und gut machten.

Aber sie verlangten doch unglaublicherweise von mir als Mutter nichts anderes, als Puppenkleider zu bügeln und Essen in Puppengeschirr zu servieren.

Also führte ich neue Regeln ein. Ich versetzte unsere

Familienidylle in die Steinzeit und schickte den Vater Cedric auf die Jagd. Er sollte mir ein Schweinchen zum Schlachten und Braten bringen. Dafür erwählte ich den rundlichen Max. Cedric fand sogar Gefallen daran, und wir hatten kurze Zeit richtig Spaß. Max aber irgendwie nicht. Und weil er beim Schlachten so laut schrie, kam das Fräulein Laura herbeigeeilt und verbot uns ganz erschrocken, mit so etwas Brutalem weiterzumachen. Weil sie mich als Rädelsführerin der nicht kindgerechten Machenschaften identifizierte, musste ich mir eine unglaublich dumme Strafpredigt anhören.

„Lily, wir tun anderen nicht weh, das ist bäh-bäh."
Doch, wirklich, sie sagte ganz ungelogen: Bäh-bäh.

Ich war noch ein bisschen aufgekratzt, weil endlich mal ein bisschen was los gewesen war in der Puppenecke. Also kicherte ich und fragte: „Sind Sie ein Schaf?"

Aber keines der anderen Kinder lachte, weil sie gar nicht kapierten, was ich meinte. Fräulein Laura auch nicht.

„Lily, werde nicht frech! Für heute reicht das! Du gehst jetzt sofort in die stille Ecke!"

„Nein", entgegnete ich. „Ich muss mich nicht Ihrer Autorität beugen. Die verfickte stille Ecke ist ein veraltetes Erziehungskonzept."

Das hatte ich so eins zu eins von meiner Tante Friederike übernommen, die als Sozialarbeiterin oft glühende Reden über pädagogische Irrtümer hielt. Dabei hörte ich immer begeistert zu, weil sie so viele Wörter benutzte, die ich nicht kannte und die mir gefielen.

Fräulein Laura gefielen sie wohl nicht. Sie lief knallrot an und lief dann aus dem Raum. Um Frau Schnetzler zu informieren, wie ich gleich darauf erfahren sollte.

Ich benutzte ihre Abwesenheit, um Cedric anzustupsen. „Das Gute hat triumphiert!", sagte ich zu ihm.

„Hä?", sagte Cedric.

Ich seufzte. Dann kam Frau Schnetzler, die überhaupt nicht gewillt war, irgendetwas verbal auszudiskutieren. Sie setzte auf körperliche Überlegenheit und ganz unmodern auf die stille Ecke.

Und als ich dort so allein herumsaß und mich gedemütigt fühlte, genauso wie es beabsichtigt war, beschloss ich, ab jetzt überhaupt nichts mehr zu sagen. Wozu auch? Die anderen Kinder antworteten mit „Hä?" oder gar nichts und die Erzieherinnen, na ja, sozusagen auch. Ich dachte kurz an meine Familie. Aber die Gespräche mit deren Angehörigen waren zwar ergiebiger, aber meistens nur unfruchtbare Diskussionen. Im Großen und Ganzen, war mein Fazit, gewann ich mehr, als ich verlor, wenn ich einfach ab jetzt konsequent den Mund hielt.

Bestimmt hatten sich die Erzieherinnen nicht ausgemalt, dass die stille Ecke mich so dauerhaft still bekommen würde.

Aber wenn ich eines sein konnte, dann konsequent. Es fiel mir erstaunlich leicht, nicht mehr zu sprechen. Nach ein paar Tagen war es dann auf einmal tatsächlich so, dass ich es nicht mehr konnte, selbst wenn ich es gewollt hätte.

Und als ich es dann irgendwann nach einem Jahr oder so wieder anfing -aber das ist eine andere Geschichte- bereute ich es. Und hatte ab da jeden, wirklich jeden Morgen, ob an Weihnachten oder meinem Geburtstag, den leicht verzweifelten Gedanken: Ein weiterer Tag, an dem ich kommunizieren muss. Und dieser Gedanke warf stets einen trüben Schatten auf den strahlendsten Moment.

Aber als ich nach meiner zweiten seligen Nacht erwachte, gab es keinen Schatten.

Mit Finn kommunizierte ich durch Lächeln und Küssen.

Das war beinahe so einfach wie damals im Kindergarten während meinem Schweigejahr.

Das konnte ich.

Aber wir wissen ja alle, das Küssen und Lächeln nicht ewig währt. Ihr wisst das jedenfalls bestimmt alle schon. Ich hätte das wissen können, aber, wie ich nicht müde werde zu wiederholen, ich dachte ja nichts. Außer daran, wie schön es war, nichts anderes tun zu müssen, als zu küssen und zu lächeln.

Ich glaube, das war das einzige Mal in meinem gesamten Leben, dass ich mich selbst belog, weil ich mich weiter gut fühlen wollte.

Also etwas, das ihr dauernd tut. Aber seitdem verstehe ich das wenigstens besser und verachte euch nicht dafür. Oder nur so sehr, wie ich auch mich dafür verachte.

Nicht wahnsinnig sehr. Wofür ich mich dann aber unendlich verachtete... Na ja, das wird wiederum ein Gefühl sein, das wir alle teilen, als wären wir eine harmonische Einheit. Die Erkenntnis, sich in den größten Wichser aller Zeiten verliebt zu haben? Das passiert jedem, richtig?

Dabei handelt es sich ja nicht mal um den größten Wichser aller Zeiten, sondern einfach um einen ganz normalen kleinen Deppen wie tausende andere auch.

Nur der Umstand, dass wir ihn für den größten Helden aller Zeiten gehalten haben, macht den Fall umso tiefer.

Obwohl. Wenn ich darüber nachdenke, muss ich den Jungs recht geben, die in mich verliebt waren und mich als die herzloseste aller Schlampen bezeichnet haben.

Ich war das schon. Oder bin das immer noch. Nur nicht mehr lange. Dann bin ich eine tote herzlose Schlampe. Vielleicht wird das mit dem herzlos dann sogar nicht mehr nur rein metaphorisch sein.

Ich bin mir sicher, dass mir einige Typen mit gebrochenem Herz bereits genau so ein Ende gewünscht haben.

Das bringt mich schon das zweite Mal in kurzer Zeit beinahe zum Grinsen, obwohl ich inzwischen einen Anflug von, erstaunlicherweise, Angst verspüre.

Aber ihr bleibt bei mir, ja?

Ich komme jetzt zum Ende des Ferienlagers. Und damit zum Ende des ersten Teils meines Märchens.

Zehn

Wie bereits erwähnt, hatten wir selten wirklich Freizeit, obwohl die ganze Veranstaltung unter genau diesem Titel angepriesen wurde: Jugend-Freizeit.

Aber an diesem Tag addierten sich einige Vorfälle zu einer zwingenden Lösung: Es gab durch einige Imponderabilien zu wenig Personal, um uns richtig zu betreuen. Also wurden wir uns selbst überlassen.

Lukas war schon früh morgens mit dem Bus losgefahren, um unsere Vorräte aufzufüllen. Und nach dem Frühstück gab es einen Notfall. Sozusagen. Brigitte musste Maja ins nächstgelegene Krankenhaus fahren, weil diese sich vor Schmerzen krümmte. Wie sich herausstellte, litt sie bereits seit unserer Ankunft unter totaler Verstopfung und hatte diesen Umstand aus nachvollziehbarem Schamgefühl verschwiegen.

Nun aber ging es Maja so dreckig, dass ihr das Schamgefühl egal war. Ein deutliches Zeichen für ihren als mindestens kritisch zu bezeichnenden Zustand.

So sah das auch Brigitte, die ihre Verantwortung als Leiterin ernst nahm und keines ihrer Schäfchen in einer Notlage im Stich ließ. Auch wenn diese Notlage darin bestand, nicht richtig kacken zu können.

Das sprach sich natürlich in Minutenschnelle herum. Und ab da würde Maja für den Rest unserer Zeit in Norwegen diejenige sein, die in die Notaufnahme musste, weil sie nicht kacken konnte.

Was alle wahnsinnig lustig fanden. Und mich an meine fürchterliche Zeit im Kindergarten und die irritierenden Fäkalwitze erinnerte.

Das Gute daran war nun aber die Abwesenheit von Brigitte und Lukas. Die alte Tiffy würde sich weigern, irgendetwas für und mit uns zu organisieren. Sie kochte, putzte und rief uns manchmal etwas Gemeines hinterher. Mehr nicht.

Und die kleine Nina war anscheinend unabgesprochen mit Lukas losgezogen. Eine ganze Menge Ninas und Lunas dieser Welt konnten sich offensichtlich für die ernsthafte Nächstenliebe von Lukas begeistern.

Also versammelte Brigitte uns nach dem Frühstück noch mal alle im Hof. Sie verkündete, dass es statt der geplanten Schnitzeljagd mit Motiven aus dem Alten Testament den Vormittag über Freizeit geben würde. Ein verblüfftes Raunen ging durch die Menge. Trübe gewordene Augen leuchteten wieder auf bei diesem Versprechen von Freiheit.

Sie appellierte an unsere Vernunft. Sie benutzte Wörter wie Teamgeist, Vertrauen und Loyalität.

Also Fremdwörter für so ziemlich jeden hier.

Aber alle nickten und gelobten vorbildliches Verhalten.

Man sah es Brigittes gequältem Lächeln an, dass sie das niemandem abnahm. Aber was sollte sie tun? Maja an ein paar Kilo Kot verrecken lassen?

Sobald die beiden in dem Mini-Mietauto verschwunden waren, fanden zufriedene Strömungen statt: Jeder wandte sich der verbotenen Tätigkeit zu, die er in den letzten Tagen am sehnlichsten vermisst hatte.

Bei den meisten bedeutete das natürlich ungehemmter Handy Konsum. Lotta suchte sich eine Hängematte zum Lesen. Das wäre ebenfalls die Tätigkeit meiner Wahl gewesen, das, oder zehn Kilometer Laufen um den See. Ich spürte bereits langsam meine körperliche Unausgelastetheit. Die fröhlichen Bewegungsspiele, die wir ausüben durften, hatten mich kein einziges Mal auch nur zum Schwitzen gebracht.

Und das Händchenhalten und Küssen mit Finn war zwar eine angenehme körperliche Tätigkeit, aber auch nicht anstrengend.

Ich beschloss, die freie Zeit an diesem Vormittag zu nutzen, um mit ihm Sex zu haben.

Oder jedenfalls mal konkret diese Richtung einzuschlagen.

Wie ich euch bereits erzählt habe, war es ja schon früh mein fester Plan gewesen, sexuell aktiv zu sein. Das mit dem nicht Verlieben hatte überraschenderweise nicht richtig hingehauen, was mich immer noch in ungläubiges Erstaunen versetzte.

Aber das war noch kein Grund, deswegen alle meine Vorsätze fallen zu lassen.

Die Gelegenheit war günstig. Finns Clique entschied sich natürlich dafür, das heilige tugendhafte Gelübde zu brechen, und das Hofgelände zu verlassen, um im angrenzenden Wäldchen zu rauchen und Alkohol zu trinken.

Pierre hatte irgendwie Wodka in Saftflaschen eingeschmuggelt, was für große Freude sorgte, und ein freier Vormittag war wie gemacht dafür, die Saftflaschen zu leeren. Ich schloss mich händchenhaltend der kleinkriminellen Gruppe an.

Noch war ich durchtränkt von purer Freude. Ich liebte das lichte Wäldchen mit seinen riesigen Findlingen und den See mit seinen rauen Klippen.

Ich liebte es, in Finns Nähe zu sein. Ich liebte Norwegen. Und so weiter. Ich langweile euch nicht mit kitschigen Aufzählungen der Objekte meiner innigen Zuneigung.

Die Sonne schien. Vögel sangen. Es roch nach Moos und Wildblumen. Und so weiter. Ich langweile euch auch nicht mit kitschigen Landschaftsschilderungen.

Sagen wir einfach mal, es war ein beinahe perfekter Moment.

Wir standen im Schatten des Felsens, der wie ein freundlich gebückter Troll aussah. Wir rauchten Zigaretten. Ich nahm einen Schluck Wodka und spuckte ihn nur deswegen nicht aus, weil ich mich nicht vor Finn blamieren wollte. Alkohol war nicht mein Ding und sollte das auch nie werden, im Gegensatz zum Rauchen.

Aber selbst dieses Erlebnis trübte meine Laune nicht. Im Gegenteil, ich fand es lustig, mal etwas zu schlucken, was sich wie Säure anfühlte. Wann passierte das sonst jemals?

Und dann wollte Finn von sich aus mit mir ein Stück weiter laufen. Die anderen machten natürlich anstößige Bemerkungen. Das interessierte mich auch nicht.

Hauptsache, ich konnte endlich mit dem aktuellen Mittelpunkt meiner eigenen kleinen Kitsch-Welt alleine sein.

Dann saßen wir irgendwo auf dem weichen Waldboden zwischen Wuzeln und Blättern.

„Du hast eine total süße Nase!", sagte Finn.

Ihr wisst ja, wie ich zu solchen Komplimenten stehe. Aber wenn er das sagte, klang das in meinen Ohren wie das Geistreichste, das jemals jemand zu mir gesagt hatte.

Ich kicherte ein bisschen auf meine neue debile Art. Dann küsste ich ihn. Seine Lippen waren, wie immer, sehr warm und weich und es gefiel mir, seinen Atem an meinen Lippen zu spüren.

Ich griff in seine Haare, um ihn mehr zu mir heranzuziehen, dann tastete ich mich vorsichtig mit der Zunge in seinen Mund vor. Auch das fühlte sich ziemlich gewaltig gut an.

Finns Atem ging schneller und er antwortete mit seiner

Zunge. Das interpretierte ich so, dass es ihm auch gefiel und presste mich mit meinem restlichen Körper so gegen ihn, dass er rücklings ins weiche Moos zurücksank. Ich lag mit meinem ganzen Gewicht auf ihm, so eng wie nur möglich, küsste ihn weiter und erkannte: Mein gesamter Körper wollte das ganz unbedingt. Wahrscheinlich war das genau das, worauf Sex hinauslaufen würde. Es machte mich sehr zufrieden, dass ich wenigstens in dieser Hinsicht Recht behalten hatte: Sex war grandios. Und dabei verliebt zu sein, machte es nicht mal schlimmer.

Ich stützte mich auf meinen Armen auf und lächelte auf Finn hinunter. Er war sehr rot im Gesicht und sah nicht halb so begeistert aus, wie ich erwartet hätte.

„Wir werden jetzt bald Sex haben!", verkündete ich ihm. „Ich werde Kondome aus dem Aufenthaltsraum besorgen und wir treffen uns dann heimlich nachts hier."

Das war der am besten umsetzbare Plan, der mir so kurzfristig eingefallen war, aber dafür war er durchdacht.

Denn natürlich würde ich den Risiken einer Teenagerschwangerschaft vorbeugen. Für diese Erkenntnis hätte es nicht einmal Brigittes schockierend pädagogisches Brettspiel benötigt. Aber es war die Quelle für meinen geplanten Kondomraub. Ich hatte dabei auch keine Skrupel, weil ich mir sicher war, dass jeder Erwachsene es gutheißen würde, dass ich mich in meinem zarten Alter so engagiert um Verhütung bemühte.

Trotzdem bezweifelte ich, dass Brigitte mir freiwillig eines ihrer farbenfrohen Demonstrations-Kondome gegeben hätte.

Obwohl sie alle Mädchen der Gruppe gezwungen hatte, bei diesem irrsinnigen Spiel mitzumachen.

Wir taten das jeweils in Gruppen von fünf, damit eine persönlichere Atmosphäre geschaffen wurde.

Das sagte unsere Leiterin zwar nicht so explizit, aber der ganze Rahmen zwang diese Schlussfolgerung auf.

Sie hatte im Gemeinschaftsraum eine gemütliche Ecke arrangiert, mit unzähligen weichen Sitzkissen und Decken, mit Getränken und einer Schüssel voller Schokokekse. Sie hatte sogar bereits Kerzen angezündet, als wir mit berechtigtem Misstrauen hereingeschlichen kamen, um an dem angekündigten „Aufklärungs-Spiel" teilzunehmen.

Die Jungs veranstalteten das gleiche mit Lukas an der Feuerstelle. Wir konnten sie später sogar hier drinnen laut lachen hören. Armer Lukas.

Mit Brigitte war es noch viel schlimmer. Niemand von uns lachte, als sie mit verzweifelter Fröhlichkeit und Schweißtropfen auf der Stirn vom Sinn des Spiels erzählte.

Alle starrten betreten auf den Boden. Außer mir waren noch Luna und Lotta dabei, sowie die zwei Mädchen, die vor mir im Bus gesessen hatten, und die, wie ich inzwischen wusste, Anne und Sophie hießen.

„Sexualität ist etwas ganz Natürliches", sagte Brigitte mit einem künstlichen Lächeln, das ihrem Satz jede Glaubwürdigkeit nahm.

„Alle Menschen haben das Bedürfnis nach Zärtlichkeit und Nähe", fuhr sie munter fort. „Und es ist wichtig, dass ihr wisst, dass man sich dafür nicht zu schämen braucht. Gott hat uns auch die Lust geschenkt. Mein Mann und ich haben einen festen Abend in der Woche eingeräumt, den wir nur uns und unserer Liebe zueinander widmen. Dann schlafen wir miteinander, um uns das zu zeigen. Aber es hat eine Weile gedauert, bis wir wussten, was uns gegenseitig Freude bereitet."

Ich glaube, dass es jedem Mädchen in der Runde jetzt ein klein wenig übel wurde. Das waren Informationen, die mit Sicherheit niemand hören wollte. Und es half nicht, dass sich jetzt jeder Brigitte vorstellte, wie sie ihrem Mann Freude bereitete. Ich glaubte, sogar ein kleines Würgegeräusch aus Sophies Richtung zu vernehmen.

Ich hingegen fand es ziemlich lustig. Und, zugegeben, ich zollte Brigitte auch meinen Respekt. Es musste die Hölle sein, so etwas vor einem Haufen Jugendlicher zu veranstalten. So etwas tat man wirklich nur dann, wenn man der Meinung war, pädagogische Pionierarbeit zu leisten. Ich respektierte es immer, wenn jemand Opfer für seine Überzeugung brachte.

Also lauschte ich aufmerksam, was sie weiter zu erklären hatte.

Sinn des Spiels sei es, uns über unsere Körper und die von Männern aufzuklären und dafür zu sorgen, dass wir mit diesem Wissen voller Selbstvertrauen anfangen würden, unsere neuerwachte Sexualität zu erkunden. Selbstverständlich nur mit einem Gegenüber, das wir sehr mochten.

Dann begann das Spiel.

Ich bin mir nicht sicher, ob es nicht genau absichtlich so konzipiert war, dass jedes Teenager Mädchen dadurch unwiderruflich und für immer jegliche Lust an jedweder sexuellen Tätigkeit vergehen sollte. Wenn ja, dann wirkte es besser als jede großangelegte Verhütungskampagne. Ich bin mir sicher, dass nicht nur vereinzelt darüber nachgedacht wurde, sofort ins nächste Kloster zu gehen und ein Keuschheitsgelübde abzulegen.

Es war ein großes Brettspiel, simpel angelegt als bewährtes Konzept für Wissens- oder Tätigkeitsfelder. Es wurde gewürfelt. Und es ging beinahe drei Stunden lang.

Es war ein Alptraum.

Ich fand es tatsächlich zusätzlich recht unterhaltsam, weil es besser war als jeder Kinofilm, Brigitte dabei zu beobachten, wie sie versuchte, eine intime Atmosphäre herzustellen.

Und die Mädchen dabei, wie sie versuchten, sich nicht zu übergeben.

Und es war herrlich absurd.

In der Mitte des Bretts stand ein Penis aus Holz, den wir also die ganze Zeit im Blickfeld hatten. Das alleine genügte ja schon, um alle in peinliches Unbehagen zu versetzen.

Und natürlich gelangte jede von uns mindestens einmal auf ein Tätigkeitsfeld, das uns dazu zwang, dem Holzpenis ein Kondom überzuziehen. Brigitte instruierte uns dahingehend. Sie hatte augenscheinlich Erfahrung damit.

Und das war der Moment, in dem ich die Idee hatte, ein paar von den Übungskondomen einzupacken, um sie gleich mal an Finn auszuprobieren.

Und wie gesagt – klar hätte ich Brigitte auch fragen können. Nach dem, was sie hier dozierte, hätte sie glücklich sein müssen, ein junges Mädchen dabei zu unterstützen, wie es wohlüberlegt plante, die Freuden ihres Körpers zu entdecken, der ihr von Gott auch zu diesem Zweck geschenkt worden war, wie wir inzwischen wissen.

Aber ich hatte den naheliegenden Verdacht, dass sie etwas dagegen haben würde, wenn das hier im Ferienlager unter ihrer Aufsicht geschehen würde.

Also schmiedete ich einen Plan, um auf kriminelle Art und Weise an mein Ziel zu kommen, während ich nebenbei Anne lauschte. Die war auf einem Theoriefeld gelandet und hatte nun die Aufgabe, ihre geheimsten Fantasien zu schildern. Weil das ja auch etwas war, was man unbedingt vor Fremden im Rahmen eines pädagogischen Brettspiels tun wollte.

Sie stammelte etwas davon, dass sie darüber noch nicht nachgedacht hatte. Brigitte ermutigte sie, das doch jetzt nachzuholen.

Anne flüsterte, dass sie sich manchmal vorstellte, wie ein berühmter Sänger einer bekannten Boygroup... Dann brach ihre Stimme. Es klang so, als wäre sie dem Weinen nah.

Brigitte nickte verständnisvoll. Wir alle, erklärte sie, fühlten uns von prominenten Erscheinungen angezogen. Es sei leichter, sich Geschlechtsverkehr mit Personen des öffentlichen Lebens vorzustellen, als mit dem Jungen von nebenan. Alle zuckten bei dem Wort „Geschlechtsverkehr" zusammen. Na ja, alle bis auf mich. Ich mochte den Ausdruck. Er war auf so herrlich nüchterne Weise zutreffend.

Denn, so fuhr sie fort, durch die Unerreichbarkeit wären wir ja in Sicherheit. Und wir hätten ja alle eine gewisse Angst vor dem ersten Mal. Na ja, alle bis auf mich. Warum auch? Es war ein normaler, für uns vorgesehener biologischer Vorgang, bei dem man jetzt nicht wirklich viel falsch machen konnte. Sonst gäbe es sicherlich keine Überbevölkerung.

Aber das sagte ich nicht, sondern nickte zustimmend.

Das registrierte Brigitte natürlich sofort. Sie bedachte mich mit einem mütterlichen Lächeln.

„Unsere kleine Lily hier", sagte sie sanft, „ist ja so ein zartes Rehlein, da wirkt die rohe Erscheinung von Männern bestimmt noch einmal mehr einschüchternd."

Echt jetzt? Ganz kurz öffnete ich schon den Mund, um etwas lilymäßig Ungefiltertes zu entgegnen, bevor ich mich zu einem angemessen zarten Lächeln durchrang.

„Aber ihr wisst ja, dass ihre keine Stars anbeten sollt, sondern nur Gott."

Ja, aber sicher, das hatten alle bestimmt total verinnerlicht.

„Und eure Zuneigung solltet ihr auch nur einem Jungen schenken, der höflich und aufrichtig zu euch ist."

Unsere Zuneigung oder unsere Jungfräulichkeit?

„Aber auch ich habe in meiner Jugend für Stars geschwärmt", fuhr sie fort. „Wie wär's, wollen wir uns gegenseitig verraten, wen wir ganz, ganz toll finden?"

Jetzt kicherte sie sogar verschwörerisch. Bestimmt nahm sie an, dass wir durch das Offenlegen dieser unsagbar dramatischen Geheimnisse alle zu besten Freundinnen werden würden.

„Ich fange an", kicherte Brigitte. Es war gruselig, sie so zu sehen. „Als ich 17 war, war ich so furchtbar in Paul Anka verliebt, dass ich ein ganzes Tagebuch für ihn vollgeschrieben habe."

Ich las an den Gesichtern der anderen, dass niemand eine Ahnung hatte, was ein Paul Anka sein sollte.

„Und ich stellte mir immer vor, wie er mich zu seiner Frau nahm und in der Hochzeitsnacht Liebe mit mir machte."

Lotta sprang auf, stotterte, sie müsste dringend auf Toilette und rannte aus dem Raum. Ich verstand sie. So langsam keimte in mir der Verdacht, dass Brigitte das hier nicht aus Freundlichkeit tat, sondern um uns auf besonders perfide Art und Weise zu foltern.

Und nun waren wir auch noch alle an der Reihe, die Objekte unserer Teenie Schwärmereien zu verraten.

Es kam das Übliche an Schauspielern und Musikern. Obwohl, Luna hätte ja eigentlich Lukas nennen müssen.

Dann kam ich dran. Ganz kurz überlegte ich, etwas zu erfinden, nur um meine Ruhe zu haben.

Aber die Wahrheit war in dem Fall ja wohl auch öffentlich vertretbar.

„Ich verliebe mich nicht in das künstliche Konstrukt

eines Menschen", erklärte ich, ohne weiter darauf einzugehen, dass ich bis vor Kurzem das Konzept des Verliebtseins ebenfalls abgelehnt hatte.

„Wir tendieren dazu, einem Schauspieler all die Qualitäten zu unterstellen, die seine einstudierten Filmrollen besitzen. Dabei ist er in der Realität nichts weiter als ein mindestens leicht narzisstischer durchschnittlicher Mensch, der keinen anderen Sinn im Leben hat, als fremde Charaktere zu verkörpern anstatt an seinem eigenen zu arbeiten. Daran erkenne ich nichts, was mich irgendwie anmachen würde.

Und Sänger können gut singen. Na und? Das macht sie ebenfalls nicht zu interessanten Menschen. Und ganz besonders nicht zu guten Liebhabern. Oder glaubt ihr, jemand, dem tausende von willigen Fan-Girls zur Verfügung stehen, würde sich besondere Mühe geben? Im Gegenteil. Die meisten weiblichen Fans würden auch noch ihr gesamtes Erspartes dafür zahlen, ihren Star oral befriedigen zu dürfen. Was, glaubt ihr, macht das mit einem männlichen Ego?"

Alle starrten mich mindestens leicht schockiert an, einschließlich Brigitte.

Ich seufzte. „Na gut, dafür kann ich mich unter Umständen für einen fiktiven Charakter begeistern, wie zum Beispiel Legolas aus Herr der Ringe. Allerdings ist mir dabei stets bewusst, dass er nichts mit der Realität zu tun hat."

Weil dazu immer noch kein Kommentar kam, nutzte ich die Gelegenheit des irritierten Schweigens.

„Darf ich übrigens noch einmal das Aufziehen des Kondoms praktizieren? Ich würde das gern einwandfrei beherrschen."

Brigitte nickte mechanisch, weil wahrscheinlich überrumpelt.

Also tat ich das, während die anderen vorsichtig zu ein

wenig Small Talk über Schwärmereien zurückkehrten. Bevor der brutale Höhepunkt des Spiels uns überrollte.

Es gab nämlich ein Feld, an dem kam man nicht vorbei. Und zusätzlich war es ein Gemeinschaftsfeld. Das bedeutete, wir hatten alle die gleiche Aufgabe zu erfüllen: Bewaffnet mit einem persönlichen Set an Spiegel und Gleitgel - welches wir sogar als Geschenk behalten durften - mussten wir uns hinter einen mit Vorhängen abgetrennten Bereich zurückziehen, um uns dort zu den Klängen von aggressiver Wohlfühlmusik dem Studium unserer Vagina zu unterziehen.

Doch, ich schwöre, genau so hat sich das abgespielt. Wahrscheinlich waren die Psychologen daran schuld, die mit Sicherheit dieses Spiel mit entwickelt hatten.

Die wussten nämlich um die Studien, welche besagten, dass Mädchen einen sehr distanzierten Umgang mit ihren primären Geschlechtsmerkmalen pflegten, weil die ja nicht wie bei Jungs prominent herumhingen und ständig in die Hand genommen wurden.

Das führte dazu, dass wir Mädchen ein schamhaftes Verhältnis zu unserer intimsten Körperregion hatten. Und das wollten die Pädagogen dieser Welt und allen voran Brigitte mit aller Macht ändern.

Sie hielt einen kleinen, schwitzenden Vortrag, den sie auf alle Fälle vorher auswendig gelernt hatte. Ich möchte ihn hier nicht wiedergeben, um euch nicht alle als Zuhörer zu verlieren. Glaubt mir, ihr wollt das nicht hören. Ich erspare euch hiermit Alpträume.

Und dann ermutigte sie uns, Taten folgen zu lassen. Ich habe keine Ahnung, was die Mädchen taten, die eins nach dem anderen wie Opferlämmer auf dem Weg zum Schlachthaus hinter den Vorhängen verschwanden.

Ich jedenfalls weigerte mich, als würde ich auch nur so

tun. Was zu weit ging, ging zu weit.

„Lily, du bist an der Reihe. Ich wünsche dir viel Freude dabei, dich kennenzulernen."

Brigitte lächelte mich so feierlich an, als überreichte sie mir eigenhändig den Heiligen Gral.

„Ich weigere mich", war meine Erwiderung. Und ich versuchte es erst gar nicht mal mehr, harmlos oder nett oder auch nur ansatzweise irgendwie zu lächeln.

„Ich weigere mich, diesen Akt des Eindringens in meine Intimsphäre einfach so hinzunehmen."

Brigitte zwinkerte ungläubig. „Wie meinst du das, kleine Lily?"

„Und würdest du bitte diese Verniedlichungsform meines Namens unterlassen? Das impliziert ein herablassendes Ungleichgewicht in unserer Beziehung."

Da keine sofortige Erwiderung kam, fuhr ich fort.

„Ich empfinde es als Vergewaltigung meiner natürlichen sexuellen Entwicklung, wenn mir durch ein Spiel aufgezwungen wird, ab wann ich mich mit meinen Geschlechtsteilen auseinandersetzen soll!"

Klar war es fies, die Waffe namens „Vergewaltigung" in diesem Kontext zu ziehen. Aber das war Absicht. So dramatisch sah ich es selbst nicht. Es sollte nur wirken.

Es wirkte. Brigitte wurde rot und ein bisschen verzweifelt. Sie überschlug sich beinahe darin, mir zu versichern, dass es der alleinige Zweck sei, mich wohl und sicher zu fühlen. Und dass ich selbstverständlich nur das tun sollte, wozu ich mich bereit fühlen würde.

Ich nickte zufrieden und behauptete, ich würde mich absolut bereit fühlen, noch mal das Ding mit dem Kondom zu üben. Das durfte ich natürlich dann, so oft ich wollte.

Menschen waren so leicht zu manipulieren. Und ich war ein schlechter Mensch, das auszunutzen. Aber das war mir gerade so was von egal.

Jedenfalls führte diese gemeinschaftliche Aufklärungsspielrunde zu genau der Situation, in der ich auf Finn saß und ihm meine Sex-Pläne offenbarte.

„Und, was hältst du davon?", schloss ich meine Ausführungen.

Von meinem Gegenüber, oder, in diesem Fall, Untendrunter, kam irgendwie keine Zustimmung. Das wunderte mich. Ich hatte mehr Begeisterung erwartet.

„Machst du dir Sorgen, weil du so unerfahren bist?"

Das hielt ich für relativ wahrscheinlich. Man hörte ja immer wieder, dass gerade Männer nicht vor Performance Ängsten gefeit waren.

„Nee, ich bin nicht unerfahren.", entrüstete Finn sich richtiggehend. „Ich hab schon ein paar Mal mit ein paar Mädchen..."

„Ja, was?"

„Wie was?"

„Du hast mit ein paar Mädchen was schon?"

Ich wurde minimal ungeduldig ob seiner Zurückhaltung.

„Na, du weißt schon, ich hab schon mit ein paar Mädchen..."

„Ja, was, nur geküsst oder den Geschlechtsverkehr vollzogen?"

Er starrte mich nur an.

Ich seufzte.

„Finn, du musst nicht aufgeregt sein. Es ist überhaupt kein Problem, wenn du noch nie Sex hattest. Das hatte ich auch nicht. Aber ich habe bereits das gesamte Kamasutra studiert und exzessiv geübt, wie man Kondome benutzt. Da kann gar nichts schiefgehen. Wir fangen mit einer unkomplizierten Stellung an."

Er schien so gar nicht überzeugt. Was hatte er nur?

„Natürlich werde ich ein wenig bluten und Schmerzen haben, aber das weißt du ja. Das gehört offenkundig dazu."

Er starrte mich immer noch nur an.

Wahrscheinlich hatte er wirklich Angst. Das fand ich ziemlich rührend.

„Keine Sorge, du musst einfach nur daliegen und ich übernehme den Rest!", beruhigte ich ihn.

Er sah alles andere als beruhigt aus.

Ich wusste nicht, was ich noch tun sollte.

„Wenn du Probleme damit hast, weil dein Penis so klein ist, verstehe ich das auch.", versuchte ich es weiter. „Aber das habe ich schon gemerkt, als ich dich in Badehosen gesehen habe. Und das ist kein Defizit, wirklich nicht."

„Ich glaube, ich will jetzt zurück zu den anderen", krächzte er.

„Jetzt?" Das war wie ein Schlag ins Gesicht. „Warum das denn?"

„Die warten bestimmt schon auf uns."

Mit diesem einen Satz fiel ein kalter Schatten auf den warmen Nachmittag. Die Leichtigkeit, die mich die letzten Tage wie ein Federwölkchen durch Zeit und Raum gewirbelt hatte, verschwand. Als wäre sie nie da gewesen. So plötzlich und unfassbar wie sie gekommen war.

Ja, ich erkannte eine Abweisung durchaus. Ich verstand nur so absolut überhaupt gar kein bisschen den Grund dafür.

Ihr kapiert das schon besser, oder? Ich ja auch, so im Nachhinein.

Ich musste dem armen Jungen eine solche Angst eingejagt haben, dass er kurz davor war, sich in die Hose zu machen.

Da traf er ein ganz, ganz junges, ganz, ganz süßes Mädchen, das ihn naiv kichernd anhimmelte. Gut für sein Ego. Vielleicht war er auch echt so ein bisschen verknallt. Bestimmt. Aber mehr als Händchenhalten und verstohlenes Rumgeknutsche erwartete er nicht im Ferienlager.

Wie denn auch? Ich hatte ja ziemlich hart daran gearbeitet, erschreckend harmlos zu wirken und mich hinter meinem kleinen Lächeln und den großen Augen hervorragend versteckt.

Wie sollte er damit rechnen, von jemandem wie mir in der Einsamkeit des Waldes überwältigt und beinahe zum Sex gezwungen zu werden.

Ja, haha, ich sehe schon eure Gesichter. Ihr hattet genau das Gegenteil erwartet, richtig?

Seid ihr sehr enttäuscht? Immerhin war es recht deutlich abzusehen, dass mir mein armes, kleines Herz von einem gewissenlosen Kerl, der aussah wie Legolas, gebrochen werden würde.

Wahlweise, nachdem ich ihm meine Jungfräulichkeit geschenkt hatte oder eben, weil ich mich geweigert hatte, sie ihm zu schenken.

So das übliche Drama des erstverliebten Teenager Mädchens.

Und hey, bitte spielt das jetzt nicht herunter, denn natürlich war mein armes, kleines Herz bitterlich gebrochen. Oder auf dem besten Weg dahin.

Es sollte ja noch viel schlimmer kommen.

Aber ach, ich wollte den Ereignissen nicht vorgreifen.

Wir waren gerade da, wo er zu seinen Freunden zurück flüchtete. Ich folgte ihm verwirrt und mit heftig klopfendem Herzen, so, wie es einem eben geht, wenn man genau spürt, dass irgendetwas auf einmal mächtig schiefläuft, was man nicht aufhalten aber auch noch nicht verstehen kann.

Händchenhalten war vorbei. Finn würdigte mich keines Blickes.

Und ja, ich konnte ihn erleichtert aufseufzen hören, als die anderen in unsere Sichtweite kamen. Ich verstand es nicht. Er führte sich auf, als hätte er Angst vor mir.

Aber das hatten wir ja schon gemeinsam herausgefunden: Er hatte ja Angst. Eher Todesangst.

Und so als kleiner Tipp: Einen Jungen auf die Unterdurchschnittlichkeit seines Geschlechtsteils hinzuweisen macht nichts besser. Da sind die ähnlich empfindlich wie Mädchen mit flachen Brüsten. Warum auch immer. Nichts davon stellt einen Nachteil dar. Im Gegenteil. Typisch irrationales menschliches Denken.

Aber das war mir damals nicht so klar wie heute.

Ich war einfach nur verstört.

Vielleicht hätte ich meinen ganzen Mut zusammengenommen und ihn tatsächlich gefragt, warum er sich so plötzlich so seltsam verhielt, aber die anderen machten ein Riesengeschrei wegen irgendetwas auf dem Boden, als wir zurückkamen. Und Finn war mehr als dankbar, sich davon ablenken zu lassen.

Der Gegenstand des allgemeinen Aufruhrs war ein winziges pinkes Ding, das sich zu Füssen der angeekelten Teenager krümmte.

Eine junge Ratte wahrscheinlich, noch vollkommen nackt, mit geschlossenen Augen und absolut hilflos.

Es konnte vorkommen, dass neugeborene Nagetiere sich an den Zitzen ihrer Mutter festsaugten und so aus Versehen aus dem Nest geschleppt wurden. Das musste hier geschehen sein.

Was daran so aufsehenerregend sein sollte, verstand ich allerdings nicht.

„Das ist so ekelig", kreischte das Mädchen.

„Voll das Alien!", bestätigte ein anderer.

„Ihr seid ja Penner!", mischte sich Finn ein, und ich dachte, er wollte dem hilflosen Geschöpf mit einer Rettungsaktion zu Hilfe kommen.

Er beugte sich darüber, dann holte er mit dem Bein aus und trat voller Wucht dagegen. Es flog mit Schwung gegen den nächsten Felsen, zuckte kurz und bewegte sich dann nicht mehr. Ein dünner Blutfaden löste sich von dem geöffneten Mäulchen.

Okay. Ihr erinnert euch an wütende Lily? Sie war so lange weg gewesen, dass ich vergessen hatte, wie wütend sie werden konnte.

Aber hier war Legolas, der edelmütig und klug sein sollte, und was tat er? Das Verabscheuungswürdigste, zu welchem ein denkendes Geschöpf in der Lage war: Er tötete ein anderes Lebewesen aus keinem anderen Grund als seiner miesen Laune wegen.

Er hätte mir unangekündigt mitten ins Gesicht schlagen können und der Schreck wäre geringer gewesen.

Einen kurzen Moment verweilte mein Blick auf der kleinen Leiche. Einen ebenso kurzen Moment zuvor war sie noch von einem zarten Bewusstsein beseelt gewesen, das zwar keine Ahnung davon hatte, was und wo und warum es war - lauter Fragen, die sich Menschen ständig mit nur begrenzt sinnvollen Antworten stellten – aber es war ein Jemand gewesen, der unbedingt leben wollte, so sehr, dass sein Festhalten an der Nahrungsquelle ihn in eine feindliche Umgebung gebracht hatte. Mir waren Ratten genauso egal oder nicht egal wie alle anderen Lebewesen.

Sie waren nicht besser oder schlechter als Menschen. Oder eher besser vielleicht, weil sie genau das nicht taten: Töten aus Gemeinheit.

Aber Finn hatte sich eine Maske heruntergerissen, die ich ihm selbst aus lauter hirnrissiger Schwärmerei aufgesetzt hatte, und beinahe wäre ich dadurch zu Boden gegangen. Ihr wisst schon, Blutleere im Kopf, kalte Hände, Schwarz vor Augen...

Eine Stunde zuvor war ich auf der Leichtigkeit seiner goldenen Gegenwart herumgeschwebt. Er war der Engel gewesen, wie ihn Luna fiktiv verehrte. Und ganz genauso eingebildet wie der ihre.

Er war nicht Legolas, er war ein Arsch.

Also sagte ich ihm das.

„Du bist nicht Legolas, du bist ein Arsch!"

Er bedachte mich mit einem ziemlich hasserfüllten Blick. Jetzt, so zwischen seinen Leuten und nach dem glorreichen Machtgefühl, etwas getötet zu haben, war er wieder selbstbewusst.

„Und du hast voll den Schaden, Lily!", sagte er. Ich denke, er meinte das wirklich und wollte mich nicht nur verletzen, weil er ihn unmännlich überfordert erlebt hatte.

Aber die Wut brannte in mir. Sie verkohlte alle Filtereinrichtungen und Automatismen, und übrig blieb das, was ich sonst immer zu verstecken versuchte.

Ihr wisst schon, das nicht sozial kompatible Monster.

„Wahrscheinlich habe ich das", sagte ich so kalt, dass alles in einem Umkreis von zwei Metern gefror und es zu schneien begann. „Aber wenigstens bin ich nicht ein jämmerlicher Schisser!"

Die übrigen beobachteten uns mit ratlosem Schweigen. Wie sollten sie auch kapieren, was sich in der letzten halben Stunde verändert hatte? Ich kapierte es ja selbst nicht.

„Eine kleine Maus töten!", fuhr ich fort, „was für eine Heldentat! Das könnte jedes kleine Mädchen."

Es gefiel mir auf eine perverse Art, wie es hinter seinem

Gesicht arbeitete und er anfing mich wirklich zu hassen, und wie er es nicht einschätzen konnte, was als Nächstes passierte.

„Aber etwas, das echten Mut erfordert... Würdest du dich nie trauen, du Weichei!"

Ich musste nicht darüber nachdenken, wie ich ihn dazu treiben würde, etwas wirklich Gefährliches zu tun. Das übernahm wütende Lily, und sie hatte echt Spaß dabei.

Ich deutete zu der höchsten Klippe am nahen See.

„Ich werde da jetzt runterspringen. Einfach so. Du nicht. Weil du eine Memme bist."

Ich lächelte mein allersüßestes Lily-Lächeln. Diesmal fiel es mir so leicht.

Das Mädchen mischte sich ein. Sie hatte vielleicht nicht viel verstanden, aber sie verstand, dass ich es ernst meinte.

„Hör auf, Lily, du spinnst ja! Das überlebst du nicht!"

Ich grinste noch mal so fröhlich. Sie wussten es einfach nicht, genauso wenig wie ihr alle: Sterben war einfach.

Aber das hatte ich gar nicht vor. Ich kannte die Stelle, von der ich springen würde, ich war bereits dort oben gestanden. Solange man in einem Winkel von etwa 30 Grad nach rechts sprang, konnte nicht viel geschehen. Dort war das Wasser tief und ohne Steine.

Wenn man die exakte Mitte nahm, die harmloser aussah, würde man eventuell tatsächlich sterben. Weil es dort dicht unter der Oberfläche spitze Felsen gab.

Ich hoffte darauf, dass Finn die Mitte wählte.

So. Jetzt wisst ihr auch, warum aktuell dann doch ich sterben muss. Hätte auch nur einer von euch einen anderen in den Tod geschickt, einfach weil er sich verhalten hatte, wie ein normaler Mensch?

Hört auf, darüber nachzudenken, das war eine rhetorische Frage, ihr Idioten.

Finn blieb keine andere Wahl, als zu springen. Nicht, nachdem ich das so übertrieben lässig demonstriert hatte, wie ich nur konnte. Ganz leicht fiel es mir nicht. Die Höhe war schon enorm, vielleicht knapp 15 Meter. Aber wütende Lily machte so was trotzdem.

Finn sprang also. Finn wählte die Mitte.

Es war so ein gutes Gefühl, ihn da oben stehen zu sehen, mit der nur schlecht übertünchten Panik im Gesicht. Aber er war nicht schlau genug gewesen, sich herauszureden.

Er sprang und er überlebte. Schwer verletzt.

Was danach kam, könnt ihr euch vorstellen.

Erst gab es eine Menge Geschrei und Chaos als er nicht mehr an der Wasseroberfläche auftauchte. Ich weigerte mich, noch mal in den See zu springen, um Finn zu retten. Die anderen stellten sich dumm dabei an, aber kriegten es dann irgendwie doch fertig ihn bewusstlos ans Ufer zu ziehen.

Es gab Krankenwageneinsätze, Blut, Tränen und sogar Polizei und Verhöre.

Das Ferienlager war ein Bild wie aus einem Katastrophenfilm.

Nur Lily lächelte die ganze Zeit ununterbrochen zufrieden in sich hinein. Aber das entsetzte alle anderen nur noch mehr. Ich hatte auch weiterhin keine Lust mehr, mich zu verstellen. Ich stand öffentlich dazu, dass es mich nicht reute, Finn beinahe in den Tod springen zu lassen.

Am Ende mussten wir beide abreisen, Finn und ich. Finn als Krankentransport, und ich mit dem Flugzeug. Welches meine Eltern zahlen mussten.

Was sie, neben allem anderen, wirklich nicht freute.

Mich auch nicht. Mich freute gar nichts.

Ich blickte aus dem Fenster, als wir abhoben und sah

zu, wie Norwegen langsam immer kleiner wurde. Und dort, zwischen Wasser und Moos, Steinen und wildem Himmel, blieb meine unerklärliche Leichtigkeit und die letzten Glücksmomente meines Lebens zurück.

Auf irgendeine Art war ich dort gestorben. Nicht so, wie es jetzt gleich geschehen wird. Viel stiller, unblutiger und dennoch unendlich grausamer als mein körperlicher Tod sein wird.

Die Kälte, welche die Leichtigkeit vertrieben hatte, war in mir geblieben. Sie füllte meinen Geist, mein Herz und meinen Blick.

Und sie war stärker als die Wut. Stärker als der Schwindel. Stärker als die Unsichtbarkeit.

Sie sollte mein neues Ich werden.

Aber das wusste ich noch nicht, als ich die paar Stunden zwischen meinem alten und meinem neuen Leben hin- und herflog.

Ich fühlte weder Angst noch Reue. Ich fühlte keine Trauer und keinen Hass.

Ich glaube, ich fühlte mich wie jemand, der in eine Schlacht gezogen war und bemerkte, dass es ab jetzt nichts anderes mehr geben würde als Kampf.

Also, ich glaube, Resignation vor meinem Schicksal war der Ausdruck, den ich suchte. Und, ich gebe es zu, es schwang irgendwo ein Anflug von Triumph mit.

Von jetzt an würde ich nie wieder unsichtbar sein, das war mir klar. Von jetzt an würde ich Arschlöcher in den Tod springen lassen und dabei lächeln.

Was mir nicht klar war: Ich würde ab jetzt alle Kämpfe ausschließlich verlieren, sogar die, die sich wie ein Sieg anfühlten.

Und letztendlich würde ich den Krieg verlieren.

Deswegen sind wir ja alle zusammen hier.

Um zuzusehen, wie ich in meine letzte Schlacht marschiere. Und glaubt mir, ich habe mir ein ganz besonderes Schlachtfeld ausgesucht, denn wenn ich schon falle, dann will ich es auch mit wehenden Fahnen tun.

Elf

Dachtet ihr etwa, das hier würde ein Selbstmord werden?

Klar dachtet ihr das. Ihr hattet bereits Bilder im Kopf, die voller Badewannen, gefüllt mit rotem Wasser und einer leichenblassen Lily sind. Oder voller Eisenbahnbrücken und einer Lily, deren Haare hoch oben im Wind flattern, bevor sie wie ein Raubvogel auf Beutefang in die Tiefe stürzt. Oder voller leerer Pillendosen und Lachen von Erbrochenem auf dem kalten Boden. Oder voller dunkler Scheunen, in denen ein Mädchen sanft an einem Seil schaukelt, nur dass das Seil um ihren Hals geknüpft ist. Oder voller weißer Wände, an denen Hirnmasse klebt, die sich Lily gerade mit einer Waffe aus dem Schädel gepustet hat.

So viele Möglichkeiten. So viele Bilder. Aber in allen sind Lilys große blaue Augen leer und starr auf einen letzten Punkt gerichtet, den nur sie sehen kann.

Hm. Also, wenn ich wählen müsste... würde ich den Sprung in die Tiefe wählen. Erstens hat das etwas Elegantes und Sauberes, na ja, nur nicht für die, die den Matsch dann wegputzen müssen. Und zweitens gäbe es noch einen letzten sehr coolen Adrenalinkick. Und es wäre spannend, ob die Zeit im freien Fall ausreicht, um diesen Schritt zu bereuen.

So gesehen wäre es aber auch maximal spannend, in einem Auto mit Höchstgeschwindigkeit gegen einen Baum zu rasen. Wie es sich anfühlt, wenn der eigene Körper durch extreme Kräfte einfach zerbrochen und zerschmettert wird?

So viele Möglichkeiten.

Was ich mit Sicherheit nicht tun würde, wäre das Pillen

schlucken. Kotzend und würgend zu sterben – nein, danke. Oder eben im schlimmsten Fall als geistiges Wrack zu überleben – nochmals ganz deutlich, nein, danke.

Pulsadern aufschlitzen? Ja, ganz ok. Blut hat etwas Ästhetisches. Aber das wird ja demnächst bei dem Tod, der mich erwartet, auch eine große Rolle spielen.

An mir herumgeritzt habe ich natürlich schon. Ich weiß auch nicht, warum wir gestörten Mädchen alle irgendwann auf die Idee mit den Rasierklingen kommen. Obwohl, in meinem Fall war das einleuchtend: Ich hatte durch meine pädagogisch geprägte Familie Zugriff auf die ganze Fachliteratur, die plausibel erklärte, dass verzweifelte Leute, vornehmlich weiblichen Geschlechts und jüngeren Alters, genau solche Dinge tun: sich als eine Art stummer Hilfeschrei mit scharfen Gegenständen Verletzungen zufügen.

Blut schreckt mich also nicht besonders. Wie es allerdings sein wird, wenn jemand anders an mir herumschneidet... der Gedanke lässt mich ein bisschen schauern.

Aber so weit sind wir ja noch nicht. Noch nicht ganz.

Jetzt steuern wir auf die eine Klippe zu, an der das Schiff namens Lily endgültig zerschellen wird. Sehr poetisch ausgedrückt, oder? Hab aber leider nicht ich mir einfallen lassen, sondern irgendwann einmal in irgendeinem Buch gelesen. Bitte, erwartet nicht, dass ich mir alles merke, was ich jemals gelesen habe. Ich weiß natürlich, dass es 2361 und zwei Drittel Bücher waren, aber ich kann mich nicht mehr an all die Titel und Autoren erinnern. So ist das eben, wenn man ein ausschweifendes Liebesleben führt. Und die meisten Romane waren nicht mehr als One-Night-Stands für mich. Richtige Beziehungen konnte ich nur zu ganz wenigen eingehen. Zwar dachte ich hin und wieder, ich hätte die große Liebe schon gefunden, sah mich dann aber doch wieder enttäuscht. Viel zu oft habe ich mich mit charakterlosen Typen abgelenkt, um meine Einsamkeit und Langeweile zu mindern. Und ja, ich rede immer noch von Büchern. Ich war Casanova und die Bücher waren meine Schlampen.

Entschuldigt, jetzt überstrapaziere ich diese Metapher extrem. Es war nur so passend und machte Spaß – und hey, gönnt mir doch noch ein bisschen Spaß, bevor ich sterbe.

Wir sind jedenfalls jetzt endgültig zurück aus dem verdammten Ferienlager, in das ich euch mitgenommen habe. Damit ihr noch das letzte bisschen Unschuld und Glück und Verliebtheit miterleben durftet, das ich so zu bieten hatte. Damit haben wir inzwischen alle zusammen ja ein beinahe intimes Verhältnis zueinander aufgebaut, richtig?

Besser, als es jedes Aufklärungsspiel jemals vermocht hätte.

Ihr konntet bereits ein bisschen hinunter in die Abgründe meiner Seele blicken. Nein, verarscht, konntet ihr nicht.

Wir haben uns bis jetzt in den seichten Gewässern meiner Seele herumgetrieben, wenn auch nicht unbedingt nur im Spaßbad.

Ein Spaßbad hat meine Seele nicht. Der Gedanke daran ist ja schon alleine echt äußerst widerwärtig. Na toll, jetzt habe ich von meinen eigenen blöden plastischen Bildern genau dieses im Kopf, in dem sich eine Horde verschwitzter nackter Leute mit bunten Plastiktieren in den reinen Gewässern meines innersten Ichs vergnügt.

Ich sollte wirklich bei nüchternen Beschreibungen bleiben und das blumige Herumvergleichen denen überlassen, denen nicht schlecht davon wird.

Andererseits kann ich euch schon jetzt versprechen, dass euch allen wahrscheinlich bald ziemlich übel werden wird.

Denn nun begibt sich unsere kleine Wandergesellschaft so langsam tatsächlich in die Richtung der Abgründe, die wir bereits angesprochen haben.

Schon wieder eine so hübsche Metapher. Würdet ihr mich bitte kurz entschuldigen, damit ich einen kleinen Gedichtband verfassen kann? Offensichtlich möchte mein Gehirn gerade poetische Dinge ausspucken.

Und ihr braucht überhaupt nicht anmerken, dass niemand von euch Lust hätte, meine Gedichte zu lesen, das ist mir schon selbst klar.

Außerdem hätte ich auch gar nicht mehr die Zeit für derlei ausschweifende literarische Exkursionen. Weil ich überhaupt nicht mehr viel Zeit habe.

Denn jetzt kommt der zweite Teil.

Der erste Teil begann mit dem schicksalhaften Tag, an dem ich Finn kennenlernte. Und wie das irgendwie alles veränderte.

Jetzt fange ich bei einem erneuten Kennenlernen an.

Das Subjekt dieses Kennenlernens trägt den etwas prätentiösen Namen NaturalBornKiller.

Origineller als Finn wenigstens schon mal. Wusstet ihr, dass Finn über die letzten Jahre hinweg stets die Liste der beliebtesten deutschen Jungennamen anführte? Da draußen laufen tausende von kleinen Finns durch die Gegend und haben keine Ahnung, wie schizophren ihr Name eigentlich ist. Nein, das ist nicht meine subjektive Meinung, die ich mir aufgrund der traumatischen Begegnung mit meinem persönlichen Finn gebildet habe.

Das liegt an der Bedeutung, deren Herkunft nämlich unklar ist. Entweder hat Finn eine altnordische Herkunft, in welchem Fall es „Weiß, Blond" bedeuten würde, oder eine griechische, nämlich „Braun, Brünett".

Andererseits passt es dadurch natürlich auch auf einfach wirklich jeden, bis auf die Rothaarigen, aber die sind es ja gewöhnt, benachteiligt zu werden.

Die Bedeutung von Lily ist simpel. Das ist diese eine bekannte Blume, die für Reinheit steht. Also absolut passend für mich. Haha. Man findet sie allerdings oft auch auf Begräbnisfeiern. Also tatsächlich passend für mich.

Was man von jemandem zu erwarten hat, der sich NaturalBornKiller nennt?

Da habt ihr wahrscheinlich bereits eure Vermutungen. Die werden sich allerdings alle als falsch erweisen. Außer, es gibt jemanden unter euch mit dem gleichen kranken Kopf wie ich. Und das bezweifle ich maximal.

Zuallererst aber steigen wir da wieder ein, wo ich aus dem Flugzeug aussteige. Ihr erinnert euch.

Und nein, um noch mal all eure schönen, blutigen, makabren Bilder vom Anfang dieses Kapitels aufzugreifen: Wir steuern hier nicht auf einen Selbstmord zu. Jedenfalls nicht im klassischen Sinn.

Also bitte alle Erwartungen streichen und abwarten.

Jetzt sind wir erstmal wieder zurück Zuhause angekommen. Zuhause bedeutet in meinem Fall die sachliche Bezeichnung meines Wohnorts, es ist nicht das Gefühl von Heimat oder so was Komisches. Habt ihr das chronische Gefühl, eine Heimat zu haben? Ich habe es nicht ansatzweise auch nur akut erlebt. Wenn ich „Heimat" höre, sagt mein innerer Duden sehr bestimmt: keinerlei Begrifflichkeiten verknüpft. Wenn ich hingegen unter „Fremdheit" nachschlage, hört er nicht auf, Verknüpfungen dazu herunterzurattern.

Ich könnte euch in einer nie dagewesenen Intensität beschreiben, wie es sich anfühlt, irgendwo eben nicht hinzu zu gehören. Im Großen und Ganzen lässt es sich in einem

Bild zusammenfassen: Ich bin ein Alien, das auf einem unbekannten Planeten inmitten einer fremden Spezies gelandet ist, der ich nur zufällig optisch identisch entspreche. Was das Problem noch verschlimmert, weil dadurch vorausgesetzt wird, dass ich mich absolut menschen-konform verhalte. Da ich das Mittel der sprachlichen Kommunikation zwar nicht besonders schätze, es aber als notwendiges Übel zur zwischenmenschlichen Verständigung akzeptiert habe, artikulierte ich natürlich einst dieses verzweifelte Gefühl der Andersartigkeit. Ziemlich präzise sogar. „Ich glaube, ich bin nicht normal."

Na ja, das fanden alle anderen in meinem sozialen Umfeld auch. Aber sie hielten das für eine Entscheidung meinerseits. Und tun es noch.

Womit ich wieder bei Zuhause wäre.

Also das, was ich dank fehlender Alternativen „Zuhause" nenne, um nicht „der augenblickliche Mittelpunkt meiner alltäglichen Tätigkeiten und die Stätte meines Ruhelagers" sagen zu müssen, obwohl dies bei weitem korrekter wäre.

Zuhause also wartete nichts Gutes auf mich. Das wäre auch überraschend gewesen.

Aber ich hatte den Flug über Zeit gehabt, mich mental darauf vorzubereiten.

Kurz hatte ich darüber nachgedacht, wie ich die Situation mit Finn plausibel für meine Umwelt darlegen könnte. Aber das war natürlich von vornherein zum Scheitern verurteilt.

Noch kürzer überlegte ich mir, einfach wieder komplett das Sprechen einzustellen. Aber mein Stolz verbot es mir, auf eine Taktik zurückzugreifen, die schon im Kindergarten nur mäßig gewirkt hatte.

Ich würde mich all dem stellen müssen, was mich erwartete.

Also erst einmal meinem Vater, der mich vom Flughafen abholte. Mein Vater war Professor für evangelische Theologie an der hiesigen Hochschule. Überrascht euch das? Warum?

Ich habe dadurch sozusagen das Recht, Christen zu beleidigen, indem ich unter ihnen aufgewachsen bin.

Ich kenne mich aus.

Mein Vater hatte bereits mehr als einmal betont, dass es die beste Entscheidung seines Lebens gewesen war, in die Lehre zu gehen und nicht Pfarrer zu werden.

Und zwar wegen seiner Tochter. Ja, wegen mir, ihr Schnelldenker. Er hatte nur eine Tochter. Und vier Söhne. Habe ich die mal erwähnt?

Egal, die sind nicht allzu wichtig. Wahrscheinlich werdet ihr meine Familie jetzt auf den nächsten Seiten ein wenig besser kennenlernen. Müssen. Tut mir leid.

Jedenfalls hatte ich bereits Zehntausendmal gehört, dass ich die mieseste Pfarrerstochter aller Zeiten gewesen wäre, und glaubt mir, es gibt bereits ziemlich miese. Manchmal lächelte er, wenn er das sagte, manchmal nicht.

Als ich ihn da so in der Empfangshalle stehen sah, konnte ich ganz klar erkennen, dass er seine Meinung mehr als bestätigt sah. Und zwar in der Nicht-Lächeln-Variante.

Aber das störte mich nicht mehr. Es hatte Zeiten gegeben, in denen hätte ich die Sehnsucht verspürt, zu ihm hinzurennen, mich in seine Arme zu werfen und hemmungslos meinen gesamten Schmerz heraus zu schluchzen. Es hatte sogar Zeiten gegeben, da hatte ich das getan.

Nur hatte das damals schon nicht funktioniert. Vielleicht fehlte es ihm an väterlicher Zuneigung zu mir, was ich ihm nicht verübeln würde. Ich war kein liebenswertes

Kind und es niemals gewesen.

Oder es lag, und diese Theorie war die wahrscheinlichere, an den Ursachen meiner Wein- und Anklammerausbrüche, dass er zuerst ein bisschen hilflos und später offen genervt reagierte.

Völlig verständlich. Aber als ich klein war, hatte ich halt noch nicht kapiert, dass die Welt mir für immer ständig Schmerzen zufügen würde. Ich hatte den kindlichen Anspruch, Papa könnte das schon wieder gut machen.

Aber wie sollte er es ändern, dass die Sonne mit glühend grellen Strahlen nach mir schoss, die mich versengten, meine Augen zum Tränen brachte und die ganze Welt in ein flimmerndes Feuerwerk unerträglich greller Farben verwandelte?

Wie sollte er es verhindern, dass ich Abend für Abend dem schrecklichen Schlaf gegenübertreten musste, der mir mein Bewusstsein und die Kontrolle über meinen Körper raubte? Jeden einzelnen Abend hatte ich die Panik, beim Einschlafen zu sterben.

Insbesondere, wenn mir das Vokabular für diese Katastrophen fehlte, und ich auf rudimentäre kindliche Kommunikation zurückgreifen musste: „Ich will nicht schlafen!" „Ich mag die Sonne nicht!"

Deswegen einen zitternden Heulkrampf zu bekommen und sich wie wildgeworden an einem Elternteil festzuklammern – das mochte in der Tat etwas übertrieben wirken. Und auch dazu geführt haben, dass mir eine gewisse egozentrische Dramatik unterstellt wurde. Plus die viel erwähnte Verwöhntheit.

Aber klar, von außen betrachtet ließ sich das wohl kaum anders interpretieren: Ein Kleinkind, welches in seinem Hochstuhl mit hochrotem Gesicht Handvoll um Handvoll Nudeln durch die Gegend warf und dabei brüllte, dass es Nudeln hasste kam im Restaurant während der Familienfeier nicht so prima an. Und dann gab es Getuschel. Dass die Eltern zu nachsichtig seien. Und so weiter.

Dabei verabscheute besagtes Kleinkind Nudeln tatsächlich, das war nicht nur ein Akt der Sturheit. Alle Arten von Pasta in ihrer ganzen soßebedeckten Schleimigkeit lösten in mir Brechreiz aus, sobald ich sie nur sah. Der Gestank nach gekochtem Getreide, die Optik wie tote Maden, die Konsistenz von breiigen Fäkalien. Nudeln waren der absolute Horror.

Und ich verstand nicht das Prinzip, das dahintersteckte, wenn Erwachsene dann dennoch ein Kind zwangen, das Zeug zu essen, wo es doch so viele andere Möglichkeiten gegeben hätte.

Es erschien mir als bloße Demonstration von Willkür und Macht, der ich mit gleichen Mitteln entgegentreten musste.

Wofür ich dann wiederum bestraft wurde.

So ist eine meiner frühesten Kindheitserinnerungen das tiefe Gefühl von brennender Empörung.

Nicht Weihnachten, Ostern oder Geburtstag.

Empörung.

Und die Hilflosigkeit, in einem Kleinkindkörper ohne verbale oder körperliche Durchsetzungskraft zu stecken. Eine zutiefst traumatisierende Erfahrung.

Und ich hegte lange Zeit Mordfantasien gegen Tante Friederike, die darauf bestand, mich samt meines Hochstuhls vor die Tür zu setzen.

Sie erinnert sich angeblich nicht mehr daran. Aber das glaube ich ihr nicht. Ihre Handlungsweise widersprach nur ihren späteren gewaltfreien Erziehungsansätzen.

Meine Eltern erinnern sich auch nicht mehr. Aber die denken generell nur in einer Art Weichzeichner an die

Vergangenheit, in der all ihre eigenen Fehler und Schwächen verschwinden. So wie ihr alle.

„Guten Tag, Vater", sagte ich freundlich und hielt ihm die Hand zum Gruß hin. Ich sah keinen Grund, meine höflichen Umgangsformen zu vernachlässigen, nur weil ich wegen einem Mordversuch nach Hause geschickt worden war.

Na ja, bisher war es nicht offiziell als Mordversuch behandelt worden. Schließlich werden vierzehnjährigen Mädchen generell derartig kaltblütige Vorsätze abgesprochen. Zum Glück. Es war die Rede gewesen von einer aus dem Ruder gelaufenen Mutprobe. Und klar, die ging einstimmig auf meine Verantwortung.

Aber „Gefährdendes Verhalten" war nicht viel besser als „Mordversuch", wenn ich so in das Gesicht meines Vaters sah.

Der sich weigerte, mir die Hand zu schütteln. Ich verkniff es mir, ihn dafür zurechtzuweisen. Manchmal begriff sogar ich, wenn jemand kurz vor der Explosion stand.

„Soso, Lily Marie.", sagte er. Seine Lippen waren ein wenig verkniffen. Und meinen vollen Namen sprach er nur aus, wenn es ernst war. „Das ist eine ernste Sache, die da passiert ist."

Sagte ich doch, es war ernst. Andererseits: Die Fälle, in denen mein Vater mich bisher direkt namentlich angesprochen hatte, bestanden in 80% aus Lily Marie. Von daher zuckte ich jetzt nicht unbedingt zusammen oder so.

„Ich hoffe, ihr zieht mir den Rückflug nicht von meinem Taschengeld ab", erwiderte ich.

Des Vaters Blick verfinsterte sich weiter.

„Klinge ich so, als wäre das alles hier ein Witz?"

„Nein, im Gegenteil, du hast ja gerade ausdrücklich betont, wie ernst es ist."

Wir starrten uns ein wenig an. Das konnten wir beide gut. Irgendwann seufzte er.

„Wir finden schon eine Lösung für alles", behauptete er, ohne dass es besonders überzeugend klang. „Aber versprich mir, Lily Marie, dass du wenigstens aufrichtig zu uns bist."

Jetzt war ich ein wenig beleidigt. Unaufrichtigkeit zählte ich nicht zu meinen vielen Schwächen.

„Ich schwöre, dass ich ganz und gar aufrichtig sein werde. Das Problem ist nur, dass euch das nicht gefallen wird."

Mein Vater seufzte wieder. Ich hatte ihn noch nie so oft seufzen gehört. Das beunruhigte mich mehr, als wenn er mich angebrüllt hätte. Und ich spürte Mitleid mit ihm.

Er sah nämlich ziemlich alt und ziemlich müde aus, und mir war klar, dass er diese Attribute durch meine Machenschaften erhalten hatte.

„Jetzt fahren wir erst einmal nach Hause und dann setzen wir uns zusammen und überlegen, wie es weitergehen soll."

Bestimmt kostete es ihn extrem viel Mühe, so besonnen und vernünftig zu sein.

Und bestimmt war es wenig hilfreich, dass ich sagte: „Es würde ja auch nicht viel bringen, einfach weiter hier herumzustehen."

„Du solltest jetzt wirklich nicht auch noch frech werden!", fuhr er mich an.

Jetzt war ich an der Reihe mit seufzen.

„Ich verstehe nach wie vor nicht, was an dem Aussprechen offensichtlicher Fakten frech sein soll."

Aber ich wusste natürlich längst, dass es eben so war. Deswegen hielt ich ja meistens meinen Mund oder filterte erst mal gründlich alles auf dem Weg zum Mund, bevor ich ihn nicht mehr hielt.

Aber irgendetwas war anders als früher.

Ich hatte es auf dem Weg zurück von Norwegen gespürt. Ich fühlte mich mindestens genauso alt und müde, wie mein Vater aussah.

Und da war nirgendwo mehr genug Energie übrig, um mich zu verstellen.

Ich versuchte, wirklich richtig aufrichtig zu sein, um meinem Vater zu beweisen, dass ich es echt und absolut auch ganz ernst meinte.

„Ich habe keine Kraft mehr, immer aufzupassen, ob das, was ich sage, unpassend sein könnte", erklärte ich. „Ich bin verzweifelt."

Erst, als ich es aussprach, wurde mir klar, dass es genau so war. Mein Vater schien daran seine Zweifel zu haben.

Aber wir standen immer noch in der Eingangshalle herum, wo es zugig war und neonlichtig kalt und menschenhektisch.

Ich hatte ganz kurz den Wunsch, zwei Meter groß und einen Meter fett zu sein, um mich in meinem Körper verstecken zu können. Aber ich war so winzig und zerbrechlich und schwach, wie es der blöde Körper eines vierzehnjährigen Menschenmädchens eben ist, Krafttraining hin oder her.

Mit ein bisschen mehr Dimension würde ich wortlos alles niederwalzen, was sich mir in den Weg stellte und Gespräche, Begründungen, Rechtfertigungen verlangte.

Wahrscheinlich hüpfte bei dieser wirklich lustigen Vorstellung - Monster-Kugel-Lily in Aktion - ein winziges Lächeln mitten in mein bis dato erstarrtes Gesicht.

Denn wenn mein Vater kurz darüber nachgedacht haben mochte, ob an meiner Verzweiflung etwas Wahres dran sein könnte, so tat er das jetzt natürlich nicht mehr.

„Mach dich nicht über mich lustig, Lily Marie!"

Jetzt wurde seine Stimme sogar lauter.

Ich sparte mir eine Antwort. Es gab keine gute Antwort.

Warum fiel es mir so schwer, die simplen Signale einzusetzen, die ein Mädchen glaubwürdig leidend wirken lassen würden?

Ein paar Tränen, eine bebende Unterlippe. Zusammengesackte Schultern. Brechendes Stimmchen. All das, was zusammengenommen bei jedem normalen menschlichen Wesen den Mitleidsknopf drückte.

Ich hingegen drückte den Rücken durch, hob das Kinn und verschränkte die Arme.

„Lass uns doch lieber nach Hause fahren und das Thema dort weiter ausdiskutieren", schlug ich extrem sachlich vor.

Das war natürlich auch wieder nicht richtig. Jetzt wechselte die Gesichtsfarbe meines Vaters ins Tiefrötliche. Kein Wunder errötete ich so leicht. Das hatte er mir vererbt. Dumm nur, dass ich das in genau diesem Moment erkannte, denn wenn ich ihm das jetzt noch vorgeworfen hätte... nun, dann hätte ich immerhin mitverfolgen können, wie steigerungsfähig sein persönliches Rot war.

Ich beschloss, überhaupt nichts mehr zu sagen, bis wir Zuhause waren.

Deswegen hing im Auto ein gewaltig aufgeladenes Schweigen über uns. Die gesamte Fahrt.

Und in einer dieser aneinandergereihten Sekunden durch die Nacht, erleuchtet von den aufblitzenden Scheinwerfern der entgegenkommenden Autos, dröhnend vom Motor und dem dicken, dunklen Schweigen, in irgendeiner dieser Sekunden, blitzte erstmals ein Gedanke auf, grell wie ein vergessenes Fernlicht: Du kannst hier nicht überleben,

Lily. Geh weg. Das ist nicht deine Welt.

Aber bevor ich ihn greifen konnte, diesen brutalen kleinen Gedanken, greifen und ausdiskutieren und erlöschen,
war er schon wieder verschwunden.

Aber ich spürte, wie er irgendwo in einer Windung meines Verstandes kauerte und sich versteckte und auf einen
erneuten Einsatz wartete.

Zweiter Teil

"If I must die
I will encounter darkness as a bride
And hug it in mine arms."

William Shakespeare

NaturalBornKiller: Du glaubst also nicht an Moral?

BrokenAngel: Nicht an die gängige. Das geht aus meinem Beitrag ja wohl deutlich hervor.

NaturalBornKiller: Dem stimme ich uneingeschränkt zu. Ich wollte mich jedoch vergewissern.

BrokenAngel: Wovon?

NaturalBornKiller: Ob es eine lohnende Aktivität darstellen könnte, eine Plauderei mit dir zu führen. Andere Menschen zeichnen sich generell dadurch aus, mich zu langweilen. Oder ich flösse ihnen Furcht ein.

BrokenAngel: Das kommt mir bekannt vor.

NaturalBornKiller: Tatsächlich? Wollen wir dann vergnüglich eruieren, wer von uns beiden den anderen zuerst das Fürchten lehrt?

BrokenAngel: Mit Sicherheit wirst du zuerst zittern!

NaturalBornKiller: Diese Herausforderung akzeptiere ich mit entschlossener Freude!

Zwölf

Ratet mal, wer zu Beginn von Kapitel 12 irgendwo mit seinem Gepäck herumsteht und sich schämt? Ja, glaubt mir, für mich war es auch eine Art Déjà-vu.

Dieses Mal war es aber nicht eine unbestimmte Scham, wie vor dem Ferienlager, sondern eine durchaus genau definierbare. Dieses Mal nämlich wartete ich nicht auf einen Reisebus, sondern auf einen Psychiater.

Das könnte der Anfang von einem blöden Witz sein: Was haben ein Reisebus und ein Psychiater gemeinsam? In meinem Fall wäre die Antwort: Lily will mit keinem von beiden was zu tun haben. Aber sie wird dazu gezwungen.

Zuerst schickten sie mich auf eine Jugendfreizeit, dann schickten sie mich in eine Jugendpsychiatrie.

Das war nicht gerade eine glorreiche Karriere. Es hätte ja auch heißen können: Zuerst in die Jugendfreizeit, dann in Jugend trainiert für Olympia. Oder in Jugend forscht. Irgendwas eben, was anerkennendes Nicken auslösen würde. Sogar ein Jugendchor wäre noch akzeptabel gewesen.

Obwohl ich den sehen wollte, der versuchen würde, mich in einen Jugendchor zu stecken.

Nur im direkten Vergleich zur Jugendpsychiatrie wirkte alles andere besser.

Sogar der Jugendknast. Bildete ich mir jedenfalls in meiner augenblicklichen Situation ein. Aus dem Jugendknast kam man schwer zutätowiert und mit Oberarmen wie ein mit Steroiden vollgepumpter Bodybuilder zurück und sicherte sich so den Respekt der Heile-Welt-Kinder.

Wahrscheinlich eher nicht, schon klar. Aber ich redete mir das gerade ein, damit ich mich noch mieser fühlen konnte.

So wie ich da schamerfüllt und offensichtlich psychisch gestört in der Eingangshalle herumstand.

Keine Ahnung, ob ihr im Lauf unserer Geschichte hier nicht schon selbst längst den Verdacht geschöpft haben könntet, dass ich das ein bisschen bin. Psychisch gestört. Für mich jedenfalls kam das insofern überraschend, dass ich zwar kapiert hatte, dass die Menschheit und ich nicht wirklich zusammenpassten. Aber irgendwie hatte ich immer auf eine friedliche Koexistenz gehofft.

Die Menschen hatten ihre Stärken und Schwächen, ich hatte andere Stärken und Schwächen. Wir hätten uns, meiner Meinung nach, durchaus miteinander arrangieren können.

Aber wenn sie mich jetzt zu den Verrückten abschoben... hatten sie erstens damit das Kriegsbeil ausgegraben und sollten besser um ihre Skalps fürchten. Ja, ich hatte auch meinen Karl May gelesen.

Und zweitens war ich dann offiziell fehlerhaft.

Und dafür schämte ich mich wirklich. Ich hatte ja ziemlich hart und ausdauernd jahrelang mit aller Kraft Strategien entwickelt, um funktionstüchtig zu erscheinen.

Aber nicht gut genug. Es war ein irgendwie beschissenes Gefühl, nicht gut genug zu sein. Vor allem nicht gut genug im Mensch-Sein zu sein.

Also griff ich zu meiner neuen Strategie, das heißt, in diesem Fall in meine Jackentasche und holte eine Schachtel Zigaretten heraus.

Es war ein ganz verblüffend filmreifer Moment gewesen, als ich das erste Mal vor meinen Eltern geraucht hatte.

Klar, sie hatten sich fürchterlich über dieses neue Laster echauffiert. Aber, und das war das Komische daran, es hatte in dieser Empörung eine ordentliche Prise Erleichterung mitgeschwungen.

Ich brauchte nicht lang um zu kapieren, warum: Endlich verhielt ich mich wie ein normaler gestörter Teenager.

Rauchen, Alkohol, Drogen, Sex. All dies, und besonders all dies zusammen, war zwar nicht erfreulich für Eltern, aber gesellschaftlich akzeptiert.

Das Rauchen machte mich zwar nicht mehr unsichtbar, aber steckte mich in eine ziemlich praktische neue Schublade. Die mit der Überschrift: Vorsicht, rebellisches Teenie Gör.

Dafür hatte ich sogar einen Großteil meines Taschengeldes ausgegeben, um mir von einem schweineteuren Szene Friseur mein langes, dunkelblondes Haar in etwas verwandeln zu lassen, das sehr kurz, rabenschwarz und irgendwie wütend wirkte. Weil er das genau so hinkriegte, war er wahrscheinlich auch so teuer. Dafür nahm ich es sogar in Kauf, dass er mit seinen Fingern an meinem Haupt herumhantierte, wofür ich den letzten Friseur gebissen hatte. Da war ich vier Jahre alt gewesen. Danach hatte ich mir selbst die Haare geschnitten.

Den Rest meines Budgets investierte ich in einen ebenso hochpreisigen Piercer, um mir von ihm einen schweren Goldring durchs Septum stechen zu lassen. Er machte seinen Job auch gut. Ich erlitt keine Sepsis dadurch, was meine größte Befürchtung gewesen war.

Mir gefiel dieser neue Look ausgezeichnet.

Sonst niemandem.

Das war irgendwie noch viel besser als Unsichtbarkeit. Aber auf eine Art auch noch viel, viel anstrengender - also bis jetzt. Furchtbar lange habe ich diese neue Rolle ja noch nicht gespielt, noch nicht einmal zwei Jahre.

Verzeiht ihr mir den Fakt, dass ich diesen Zeitraum einfach überspringe? Rein theoretisch wäre das irgendwie der spannendste Teil der Geschichte gewesen.

Denn dies waren immerhin Lilys Zeiten von Sex, Drugs und Hard-Core-Heavy-Death-Metal.

Aber hey, so was finden vor allem die Leute aufregend, die so was noch nie erlebt haben.

Das ist übrigens auch der Grund, warum ich jedem empfehlen würde, seine krassesten Träume unbedingt auszuleben. Um noch nebenbei eine letzte kleine Lily-Philosophie loszuwerden.

Meint ihr, ich hätte vielleicht einen Haufen Geld verdienen können als Verfasserin der von mir verachteten Ratgeberliteratur?

„Misanthropie für Anfänger", „Verärgere dein Gegenüber in nur zehn Sekunden", „Wie man sein gesamtes Potential vergeudet" oder eben auch „Lebe deine Träume, um zu erkennen wie Scheiße sie eigentlich sind".

Das Schlimmste was man nämlich haben kann, sind unerfüllte Träume. Die blasen sich zu den ultimativen Glückserlebnissen auf und überschatten die eigene triste Gegenwart, die dadurch noch trister erscheint. Und je länger ihr euch diesen Wunsch verbietet oder ihn nicht erreichen könnt, umso toller malt ihr ihn euch aus. Und dabei überseht ihr, wie konträr die Realität ausfallen würde. Möglicherweise. Manchmal mag so eine Erfahrung die Fantasie sogar noch übertreffen. Um so besser. Das wäre der erste Grund, einfach mal das zu tun, was ihr gerne tun würdet. Es könnte das Gigantischste sein, was ihr jemals erlebt habt.

Und falls es der totale Reinfall ist, trauert ihr ihm wenigstens nicht ein ganzes halbes Leben hinterher.

Typisches Beispiel gefällig, wo wir gerade schon bei Sex, Drugs und Hard-Core-Heavy-Death-Metal sind?

Für die Jungs: Ihr stellt euch so oft Sex mit zwei Frauen gleichzeitig als höchst erstrebenswert vor.

Moralisch spricht ja auch nichts dagegen. Aber aus eigener Erfahrung kann ich euch versichern: So ein viel ersehnter Dreier ist vor allem eines: ziemlich anstrengend.

Vor allem für das paarungswillige Männchen, das mit zwei Weibchen klarkommen muss. Die Typen, von denen ich weiß, hatten alle eine identische Meinung: das Beste an dieser Erfahrung sei es, sagen zu können, sie gehabt zu haben.

Für die Mädchen: Leider hatte Brigitte ja recht damit, dass ihr euch alle irgendeinen sogenannten Promi vorstellt, wenn ihr euch einen sexuellen Akt mit der höchsten Befriedigung ausmalt. Vergesst es. Das war mir bereits in der Theorie klargewesen. Die Praxis machte es nicht besser.

Ihr könnt natürlich ebenfalls Befriedigung daraus ziehen, auf Facebook zu posten, dass ihr XYZ gevögelt habt.

Aber der war wahrscheinlich beim Vögeln ziemlich zugesoffen, hatte üblen Mundgeruch, wollte es unbedingt ohne Gummi machen, machte es dann innerhalb von drei Minuten und redete euch dabei mit falschem Namen an.

Das sind keine Vermutungen, sondern Erste-Hand-Erfahrungen.

Probiert das aber ruhig trotzdem alles selber aus. Manches davon wird extrem weh tun, manches davon wird extrem euphorisierend sein. Das meiste davon wird sich als einfach nur überbewertet herausstellen. Aber alles davon wird euch weiterbringen.

Mich brachte das extreme Erfahrungen machen leider nur in eine weitere Sackgasse. In der ich auf ratlose Weise herumstand und ernüchtert feststellte, dass tatsächlich leider nichts, aber auch wirklich so gar nichts, also noch weniger als nichts, mich auch nur irgendwie nachhaltig beeindruckte.

Aber nur deswegen, wie ich inzwischen weiß, weil ich

nicht richtig funktioniere. Ihr Menschenwesen tut das also bitte: Macht extreme Erfahrungen. Fallt damit auf die Nase. Findet euer großes Glück.

Ich fand schon auch eine Menge neue Erkenntnisse. Aber jedes davon vergrößerte nur die Müdigkeit. Und die Kälte.

Am deprimierendsten war es herauszufinden, dass es keine einzige Randgruppe gab, in die ich auch nur ansatzweise passte. Ich versuchte es überall. Echt jetzt, so ziemlich überall. Sogar bei den modernen Neonazis schnupperte ich mal rein, den Identitären, wie sie sich gerade nennen. Die wollten mich sogar dabeihaben. Die meisten wollten mich erst mal echt gern dabeihaben. Schließlich hatte ich meine Rüstung der Unsichtbarkeit zugunsten eines Engelskostüms abgelegt. Also, ein recht düsteres Engelskostüm, mit rabenschwarzen, kaputten Flügeln und Laufmaschen und verlaufenem Make-Up. Aber auch gefallene Engel sind hübsch.

Und weil die meisten Randgruppen, egal wie politisch und alternativ und originell, vorhersehbar patriarchalisch strukturiert waren, freuten sich die männlichen Anführer immer über ein hübsches Mädchen in ihrer Gruppe.

Aber ihr ahnt es bestimmt, sie freuten sich alle nicht besonders lange.

Nicht, wenn das hübsche Mädchen ständig unbequeme Fragen stellte und sich weigerte, mit ihnen zu ficken.

Es dauerte diese zwei Jahre, in denen ich alles das ausprobierte, wovor euch eure Eltern immer warnen. Nur um herauszufinden, dass der Kick nie groß genug war, um mich zu retten.

Eigentlich hatte ich vor, euch jetzt wenigstens meine krassesten Erlebnisse aufzuzählen. Aber erstens müsste ich da eine eigene Geschichte draus machen. Zweitens würdet ihr mir wahrscheinlich nicht glauben. Drittens hättet ihr danach euer Leben lang Alpträume. Und viertens würde sowieso 90 Prozent davon zensiert werden.

Spulen wir einfach zu diesem Punkt vor, an dem ich bereit war, aufzugeben. Keine Träume mehr, keine Hoffnung, keine Energie, kein Zuhause, kein Licht irgendwo am fernen beschissenen Horizont.

Es kam mir wie tausend Jahre vor, dass die zwanghaft fröhliche Brigitte mich auf die Reise voller pädagogisch wertvoller und risikobefreiter Abenteuer mitgenommen hatte.

Der, welcher mich nun abholen kam, war alles andere als ein fröhlicher Christ.

Er trug nicht mal einen weißen Kittel, wie ich es von einem anständigen Ober-Irren-Arzt erwartet hatte, sondern einen schlichten grauen Pullover. Mit Löchern an den Ellbogen. Die sah ich sofort.

Er trug auch kein Namensschild oder so. Wenn ich ihn nicht von einem seiner Fotos aus der Klinik-Website gekannt hätte, ich hätte ihn wahrscheinlich für den Hausmeister gehalten. Enttäuschend.

„Ihr Erscheinungsbild ist enttäuschend!"

Ich wollte ihn nicht im Unklaren darüber lassen. Wenn ich diesen Eindruck hatte, ging es sicherlich den meisten anderen auch so. Und das mochte doch seiner Autorität als Oberarzt ganz schön zusetzen. Und wie ihr möglicherweise bereits erraten habt: Ich sah keinen Sinn mehr darin, Energie darauf zu verschwenden, meine Gedanken-zu-Mund-Filter weiter in Betrieb zu halten. Die hatten mich nicht besonders weit gebracht. Genau genommen direkt hierhin. Zu dem Typ im weißen Kittel. Metaphorisch gesprochen, weil er mir ja nicht mal den Gefallen tat, einen zu tragen.

Als Antwort streckte er mir seine Hand hin.

„Guten Tag, du bist Lily richtig? Mein Name ist Peter Fuchs."

Ich seufzte innerlich, aber so gehörte es sich eben.

„Guten Tag Herr Fuchs, richtig, ich bin Lily."

„Und warum ist mein Erscheinungsbild enttäuschend, Lily?"

Seltsam. Er fragte dies augenscheinlich aufrichtig interessiert. Ich scannte sein Gesicht auf die typischen winzigen Anzeichen von verstecktem Ärger oder Unsicherheit. Ich entdeckte keine. Am liebsten hätte ich kurz an ihm geschnuppert, um festzustellen, ob er wenigstens nach Stress und Angst roch, wie es sich für Menschen gehörte, die länger als fünf Minuten mit mir zu tun hatten.

Aber ich wollte ihn nicht in genau diesen ersten 5 Minuten schon davon überzeugen, dass ich richtig verrückt war, also auf die kranke Art und Weise. An fremden Menschen zu riechen wurde allgemein als richtig verrückt angesehen, das hatte ich schon ausprobiert.

Also beschloss ich, ausnahmsweise darauf zu vertrauen, dass Dr. Fuchs tatsächlich an einer ehrlichen Meinung interessiert war.

„Nun, nichts an Ihnen verrät, dass Sie hier der leitende Oberarzt sind", antwortete ich also. „Ein weißer Kittel hätte Ihnen schon mal eine gewisse Autorität den meisten Menschen gegenüber gesichert. Mich ausgeschlossen. Aber Sie sind unordentlich frisiert und ihr Pullover weist Löcher auf. Das signalisiert eine gewisse Nachlässigkeit. Wenn nicht gar die Unfähigkeit, Ihr eigenes Leben zu organisieren. Wie wollen Sie dann das Leben von anderen Leuten wieder in Ordnung bringen?"

Ich starrte ihn an, was wahrscheinlich trotzig wirkte. Vielleicht war es das auch. Aber ich wartete darauf, dass er mich jetzt gleich frech oder unverschämt oder irgend so was nennen würde.

Sein Gesichtsausdruck veränderte sich schon mal ein wenig. Er dachte offensichtlich nach.

„Da hast du nicht unrecht", sagte er schließlich fröhlich.

Wie bitte? Jetzt wurde mein Starren zu einem mit offenem Mund.

„Also, auf den weißen Kittel verzichte ich absichtlich. Ich bin kein Arzt. Ein weißer Kittel ist ja eigentlich nicht viel mehr als eine Arbeitsschürze, um vor Blut und Körperflüssigkeiten zu schützen. Ich würde mir lächerlich vorkommen, so was nur zu tragen, um respekteinflößend zu wirken."

„Das kann ich nachvollziehen und respektieren", erklärte ich überrascht. Ich konnte mich nicht erinnern, von einem Erwachsenen jemals eine so ernsthafte und vernünftige Antwort bekommen zu haben. Ach was, seien wir ehrlich: Von Gleichaltrigen erst recht nicht. Sorry, Leute, ihr seid davon natürlich ausgeschlossen. Euch traue ich inzwischen auch ein bisschen mehr zu.

„Aber was den Rest betrifft... ich befürchte, du hast das ganz richtig erkannt. Ich bin ziemlich nachlässig mit alltäglichen Dingen. Es ist mir relativ egal, wie ich aussehe. Und ich vergesse manchmal, wie das auf andere wirkt. Aber ich erkenne nicht, wie das meine Fähigkeiten als Therapeut beeinflussen sollte."

Ich war überfordert. Er ging tatsächlich auf der Sachebene auf meinen Kommentar ein. So weit kam ich eigentlich nie in einer Konversation. Und was jetzt?

Ich beschloss, einfach bei meiner neuesten Taktik zu bleiben:

„Ich bin überfordert. Ich hätte nicht damit gerechnet, dass Sie auf der Sachebene auf meinen Kommentar eingehen. So weit komme ich eigentlich nie in einer Konversation."

Dr. Fuchs schmunzelte.

„Das wundert mich nicht."

Aber ich hatte nicht das Gefühl, dass er sich über mich lustig machte.

„Ich zeige dir jetzt dein Zimmer, Lily, und erkläre dir kurz den Ablauf der nächsten Wochen. Schmeißt du vorher bitte deine Zigarette weg? Aber vielleicht nicht gerade in den Papierkorb."

Ich hatte völlig vergessen, dass ich noch rauchte. Jetzt schämte ich mich wieder. Dass ich mich so kindisch verhalten hatte und absichtlich das Rauchverbot im gesamten Gebäude missachtet hatte.

Also drückte ich das Ding gründlich im nächsten Blumentopf aus - ich sah deutlich aus den Augenwinkeln die missbilligenden Blicke der Empfangsdame – und warf es dann doch in den Papierkorb, weil nichts anderes da war.

Dr. Fuchs kümmerte sich überhaupt nicht darum.

Er wartete, bis ich zu ihm aufgeschlossen hatte und führte mich dann durch den Irrgarten von Gängen, Fluren, Liften und Hallen bis zu dem Raum, in dem ich von nun an mein erbärmliches Dasein als Insassin fristen sollte.

„Es ist mir etwas unangenehm, aber ich muss Ihnen leider mitteilen, dass ich vom Erscheinungsbild dieses Raumes ebenfalls enttäuscht bin", rutschte es mir heraus.

Es tat mir wirklich leid. Wir kannten uns kaum, er schien ein ungewöhnlich rationaler Mensch zu sein, und ich musste ihn ständig mit meinem Missfallen an seiner Optik oder an der seiner Einrichtung konfrontieren.

„Warum, was missfällt dir an diesem Raum, Lily?"

„Er ist langweilig."

Er war langweilig. Es gab keine dreckige Pritsche mit Fixierungsmöglichkeiten, keine Gummiwände, keine Zwangsjacken oder auch nur vergitterte Fenster.

Diese Feststellung teilte ich Dr. Fuchs mit.

Er lachte schallend. Komischerweise merkte ich aber, dass er sich wirklich nicht über mich lustig machte. Er fand mich lustig. War das besser?

„Wenn das deine Definition von langweilig ist... dann glaube ich, freue ich mich, dass du hier bist. Vielleicht kann ich ja irgendwo im Keller noch eine Zwangsjacke für dich auftreiben, damit du dich wohler fühlst."

Ich lächelte. Also ganz von alleine. Er hatte einen Scherz gemacht, den ich lustig fand. Ich mochte ihn.

„Hier ist dein Terminplan für die nächste Woche. Heute wird dich nur, warte mal, ah, ich sehe, Pia wird es sein, die dich herumführt und dir alles zeigt. Sie holt dich in etwa einer Stunde ab. Solange kannst du dein Gepäck einräumen und dich ausruhen. Nach dem Mittagessen hast du deine erste Stunde bei Herrn Lustig, das ist dein zuständiger Therapeut."

„Sind nicht etwa Sie mein behandelnder Therapeut?"

Ich war schon wieder enttäuscht.

„Nein, Lily, aber du kannst dich jederzeit an mich wenden, wenn du ein Problem hast. Ok?"

Ich nickte.

„Solange Sie das nicht als Floskel meinen."

Er schmunzelte wieder.

„Tue ich nicht. Gewöhn dich gut ein. Wir werden uns nächsten Montag sehen, um die Fortschritte zu besprechen."

„Wer sagt denn, dass ich Fortschritte machen will?"

„Wer sagt denn, dass du Fortschritte machen musst?

Vielleicht reicht es schon, wenn wir gemeinsam herausfinden, wo deine Probleme liegen?"

„Wer sagt denn, dass ich Probleme habe?"

„Deine Eltern, deine Lehrer und deine Betreuer aus dem Ferienlager sagen das."

„Und wer sagt, dass die Recht haben?"

„Nun, vielleicht finden wir ja auch heraus, dass sie nicht recht haben. Aber das wäre auch ein Fortschritt, oder?"

„Ja, das wäre ein Fortschritt, der mir gefällt."

„Das glaube ich gern."

Dr. Fuchs lächelte.

„Bis später, Lily."

„Vielleicht", sagte ich. Und begann mein Gepäck auszuräumen.

Das Klinikzimmer unterschied sich erschreckend wenig von meinem Zimmer im Ferienlager.

Es war nur alles etwas weniger abgenutzt. Und anstelle von zwei Doppelbetten gab es nur ein einziges schmales. Zum Glück.

Ich malte mit dem rechten Fußzeh fünf Mal ganz schnell ein winziges Gesicht und zählte drei Mal auf zehn, einmal in Blau, einmal in Türkis und einmal in Grün.

Dann marschierte ich geradewegs ins Bad und überprüfte die Wundheilung.

Das bereitete mir eine gewisse Freude. Erinnert ihr euch noch, was ich euch über gestörte Mädchen, Magersucht und Rasierklingen erzählt habe?

Also, ich erinnere mich selbst nicht mehr so richtig, weil es in meiner Geschichte keine Hauptrolle spielt. Eher so den Sidekick. Der dann später ein eigenes Spin-Off bekommt und den Hauptdarsteller an die Wand spielt. Haha.

Nicht in meinem Fall. Nicht, wenn die Story mit einem Happy-End-Tod endet.

Entschuldigt, ich hasse es selbst, wenn Anglizismen auch noch mit deutschen Begriffen gepaart werden. Das gibt immer hässliche Kinder.

Jedenfalls hatte ich inzwischen meine eigene Vorliebe für die allseits beliebte Rasierklingen-Ritzereien entdeckt.

Es war die logischste aller Konsequenzen gewesen.

Meine Huch-mein-dummes-kleines-Herz-wurde-mir-von-einem-kleinen-Wichser-gebrochen-Verzweiflung blieb in mir stecken wie ein vergifteter Pfeil. Ich bekam sie irgendwie nicht heraus und nicht mal heraus artikuliert. Deswegen glaubte sie mir auch niemand. Meine Eltern glaubten sie mir nicht.

Die vermuteten, ich hätte das gesamte Theater nur veranstaltet, um als eines von fünf Kindern mehr Aufmerksamkeit zu bekommen. Klar. Das war genau das, was ich schon mein gesamtes Leben bezweckte.

Und wofür ich mir mühsam die Rüstung der Unsichtbarkeit geschmiedet hatte.

Also versuchten sie eine Weile, mir mehr Aufmerksamkeit zu widmen, was gründlichst schieflief, weil mir mehr Aufmerksamkeit zu widmen zwingend zu mehr Kommunikation mit mir führte, was zwingend in mehr Konflikten mündete, welche zwingend in Eskalationen endeten.

In ihrer äußersten Verzweiflung glaubte meine Mutter irgendwann, dass es besser gewesen wäre, keine Kinder zu bekommen anstatt so etwas wie mich. Dies sehr deutlich und wortwörtlich zu artikulieren bereitete ihr, im Gegensatz zu mir, überhaupt keine Mühe.

Ich musste ihr rückhaltlos zustimmen.

Und eigentlich sollte es mich auch nicht weiter scheren, was eine Person über mich dachte, die nur durch Zufall meine biologische Erzeugerin war. Tat es aber irgendwie dennoch. Keine Ahnung, warum. Die Aussage, dass ich besser nicht geboren worden wäre, bohrte den Pfeil der Verzweiflung endgültig fest. Und das Gift darin strömte durch jede Faser meines Körpers wie flüssiges Feuer.

Ich blickte in mein blasses Gesicht im Spiegel, so unbewegt und niedlich wie das einer Gothic-Puppe.

Darunter brüllte rasend ein gefangenes Tier.

Also schnitt ich mir die Unterarme auf und ließ es mit den Schmerzen hinaus. Es war eine unfassbare, wunderbare, schockierende Erleichterung. Der glühende Schmerz, wenn sich das Metall in meine Haut fraß entsprach genau dem unsichtbaren Schmerz in mir. Und mit dem heißen Blut floss er aus mir heraus.

Und wenn die Schnitte heilten, bildete ich mir ein, heilte auch die Verzweiflung ein Stück.

Das war natürlich Quatsch. Und ich schämte mich entsetzlich dafür, dass mir keine andere Lösung einfiel als dieses Klischee. Aber es wirkte. Und ich benötigte irgendetwas, das wenigstens irgendwie ein bisschen wirkte.

Es wirkte auch dahingehend, dass meine Eltern mich endgültig nicht mehr Zuhause behalten wollten. Was ich ihnen nicht im Geringsten nachtrug.

Und so landete ich hier in meinem eigenen kleinen privaten Bad für Irre und erfreute mich an dem Schorf an meinen Handgelenken.

In dem Moment musste ich ziemlich laut lachen. Was auf Außenstehende sicherlich angemessen irre gewirkt hätte.

Aber die Situation war extrem absurd. Ich hielt mich nicht unbegründet für einen der am meisten rational denkenden Menschen, die ich kannte. Und dennoch befand ich mich mit allen Merkmalen gezeichnet, die eine emotional verwirrte Person ausmachten, in einer Einrichtung für Gestörte.

Vielleicht dämmerte es mir da langsam, dass ich aber genau das war: gestört. Nicht nur das. Ein Monster. Eine Abart der Natur. Jetzt, kurz vor meinem Tod, habe ich dahingehend die Sicherheit.

Ich war jedenfalls gespannt auf meine Mitgefangenen. Seht ihr? Sogar angekommen am absoluten Nullpunkt konnte ich meine Neugier nicht ausschalten und freute mich auf perverse Art und Weise daran.

Pia entpuppte sich schon mal als uninteressant. Eindeutig anorektisch. Und Essstörungen hatte ich bereits als Thema durch. Es war eine der am besten zu erklärenden psychischen Krankheiten.

Zwänge hatten mich ein wenig länger beschäftigt, Depressionen hingegen waren ebenfalls recht öde. Schizophrenie war in einem kaputten Gehirn begründet, was auch keinen Stoff für ausgiebige Forschung betrug. Das einzige, was mich seit Jahren bei der Stange hielt, waren meine psychopathischen Serienkiller.

BrokenAngel: Kettensägen finde ich ziemlich geschmacklos.

NaturalBornKiller: Geschmacklos mag eine zutreffende Eigenschaft von Kettensägen sein, jedoch auch das mühelose Zerteilen von menschlichen Muskeln und Knochen.

BrokenAngel: Mühelos und eine gewaltige Sauerei verursachend. Spritzt da nicht das Blut wie Sägespäne?

NaturalBornKiller: Nicht wenn man vorsorglich auf ordentlichem Wege das Blut zuvor aus dem betreffenden Körper entfernt.

BrokenAngel: LOL. Okay, ein Punkt für dich. Trotzdem, Kettensägen sind und bleiben geschmacklos.

NaturalBornKiller: LOL. Dann akzeptiere ich das selbstverständlich als deine persönliche Abneigung. Was entspräche eher dem Geschmack der anspruchsvollen Dame?

BrokenAngel: Vielleicht ein Schwert?

NaturalBornKiller: Ein Schwert???

BrokenAngel: Ja, so eines mit verziertem Griff und silberner Klinge und so...

NaturalBornKiller: Du Romantikerin!

BrokenAngel: Du Banause!

Dreizehn

Pia fiel keinesfalls in diese Gruppe der gefährlichen Psychopathen sondern eher in die der Opfer. Schade.

„Hallo, ich bin Pia", sagte sie, als ich ihr nach ihrem Klopfen die Tür geöffnet hatte. Ihre langen Haare waren in einem blassen Pink getönt, ihr Stimmchen war noch dünner als die hängenden Glieder ihres zusammengesunkenen Körpers, und ihre riesigen braunen Augen schielten mich unter superschwarz getuschten Wimpern ängstlich an wie tote Käfer.

„Wenn du wenigstens Bulimie hättest, wärst du interessanter", erwiderte ich.

Sie fing an zu heulen und lief weg.

Ich schloss die Tür wieder.

Zehn Minuten später klopfte es erneut an die Tür.

Ich öffnete. Pia hatte eine Frau mitgebracht, die entschlossen, mütterlich und in viel zu viel bunte Wolle gekleidet wirkte.

Sie hatte die Arme verschränkt, eine viel zu unkooperative Haltung für ein Vermittlungsgespräch.

„Falls Sie hier sind, um mich darauf hinzuweisen, dass ich Pia gegenüber verletzend war und tatsächlich erwarten, dass ich mein Verhalten ändere, sollten Sie zuerst einmal Ihren Gesichtsausdruck und ihre Körperhaltung ändern", wies ich sie höflich auf ihren Fehler hin.

„So, wie Sie mir gerade gegenübertreten, erwecken Sie nicht den Wunsch in mir, weiter mit Ihnen zu kommunizieren."

Damit schloss ich die Tür wieder.

Weitere zehn Minuten später waren sie zu dritt. Das machte es nicht besser.

Denn die Verstärkung, die sie mitgebracht hatten, war auch nicht besonders vertrauenserweckend.

Ein kleiner Mann mit weißem Bart in heller Leinenhose und hellem Batikhemd. Und runder Goldbrille. Und einem penetranten Lächeln.

Ich beschloss dennoch, ihm die Chance zu geben, erst mal was zu sagen, bevor ich die Tür wieder schloss.

Ansonsten würde sich die Anzahl der Besucher innerhalb der nächsten Stunden zu einem kleinen Massenauflauf im Gang steigern. Davon hätte niemand was.

„Hallo Lily, danke, dass du bereit bist mit uns zu reden.", sagte die Mischung aus Hippie und Nikolaus.

„Ich bin mir nicht sicher, wie lange noch", antwortete ich.

„Das verstehe ich. Der erste Tag hier ist für niemanden einfach. Auch Pia hier weiß das. Deswegen ist sie hier. Um dir den Anfang ein bisschen leichter zu machen."

„Das ist freundlich von ihr", bestätigte ich.

Alle drei schienen aufrichtig überrascht. Warum? Ich hatte niemals erklärt, dass ich etwas dagegen hatte, mich von ihr herumführen zu lassen.

„Außerdem wäre es angebracht, dass Sie sich vorstellen, wenn Sie schon meinen Namen kennen", fuhr ich fort.

„Das hat ja sogar Pia hingekriegt."

Ich lächelte sie aufmunternd an. Pia wurde rot und starrte auf den Boden. Das machte sie sympathisch, weil es sie an mich erinnerte. Wir finden generell alles sympathisch, was uns ähnelt. Weil wir alles kleine Narzissten sind.

„Du hast recht", sagte der Mann, und ich merkte ihm deutlich an, dass es ihm nicht recht war, dass ich Recht hatte, auch wenn er versuchte, das zu übertünchen.

„Ich bin dein zuständiger Therapeut, Herr Lustig. Wir werden die nächsten Wochen viel Zeit miteinander verbringen und ich freue mich schon darauf."

„Das glaube ich Ihnen nicht." Ich zögerte kurz, weil mir schon klar war, dass ich wieder als frech und provokativ usw., usw., rüberkommen würde. Also strengte ich mich an. „Aber ich respektiere Ihren Versuch, mit mir eine positive Verbindung herzustellen. Ich werde versuchen, kooperativ zu sein."

„Das ist schön, Lily", fand Herr Lustig. Und ich musste ihm zugutehalten, dass er wirklich versuchte, das ernst zu meinen. „Würdest du dann mit Pia einen Rundgang durch die Klinik machen?"

„Selbstverständlich." Ich zuckte mit den Schultern. „Das habe ich nie abgelehnt."

Na ja, hatte ich doch ein bisschen, als ich dem armen Kind die Tür vor der Nase zugeknallt hatte. Sie wirkte auch nicht so, als hätte sie noch große Lust auf einen Rundgang mit mir.

Wir zogen das dann dennoch durch. Und während ich mir so die trostlose Innen- und Außenarchitektur betrachtete, die versuchte, sich wohnlich und einladend zu geben, spürte ich ein ganz, ganz dummes, furchtbar dummes Gefühl. Erratet ihr, welches? Bestimmt, oder?

Genau, die alte Hure Hoffnung kam von hinten herangeschlichen und hauchte mir mit ihrem süßlichen Atem Lügen ins Ohr.

„Du befindest dich an einem Ort der Heilung. Warum solltest nicht auch du geheilt werden können, kleine Lily? All diese kompetenten Wissenschaftler – warum denkst du, ausgerechnet für dich gibt es keine Hoffnung, kleine Lily?"

Ein Wispern nur für den Anfang, aber ich spürte die Wirkung. Also sagte ich der Hoffnung, sie solle ihr blödes

Maul halten, und wandte mich Pia zu.

Die hatte mir mit ihrem müden Stimmchen einsilbig alles vorgestellt, den Speisesaal, den Fernsehraum (der so trostlos war, dass es vermutlich als Strafmaßnahme galt, dort abgesetzt zu werden), die Therapieräume, den Raucherpavillon, den Garten, die Sporthalle, die Tischtennisplatte. Alles.

Jetzt schielte sie mich wieder mit ihren riesigen Käferaugen an. Für einen Moment blickte mich eine lodernde Verzweiflung daraus an, die meine bei weitem überstieg. Mitleid und Schuld stiegen in mir auf; Pia wäre nicht hier, wenn sie nicht bis über ihre Grenzen hinaus verzweifelt gewesen wäre. Das war natürlich auch schon der größte Unterschied zwischen uns: Ich war hier, weil ich alle anderen in meinem Umfeld in die Verzweiflung getrieben hatte.

„Es tut mir leid, wenn ich dich verletzt habe", sagte ich zu ihr. Sie zuckte zusammen.

„Schon okay", flüsterte sie. „Ich will auch nicht hier sein."

„Warum bist du hier?"

Sie errötete. „Ich musste im Krankenhaus zwangsernährt werden. Sonst wäre ich gestorben. Danach kommt man dann hierher. Aber nur solange ich jede Woche mindestens 500 Gramm zunehme. Sonst muss ich zurück ins Krankenhaus."

„Das ist unfair", fand ich. „Wenn du unbedingt verhungern möchtest, hast du ein Recht darauf."

Sie stieß einen kleinen Atemzug aus, irgendwie schockiert.

„Findest du?"

„Natürlich. Immer behaupten sie, wir haben ein Recht auf Selbstbestimmung. Aber nur solange, bis wir anfangen, wirklich über uns zu bestimmen. Dabei hatte der Freitod in anderen Kulturen längst nicht diese negative Besetzung wie bei uns. Das liegt am Christentum, welches Selbstmord als Sünde verurteilt."

„Aber ich weiß gar nicht, ob ich sterben will", flüsterte Pia. „Ich will nur nicht essen."

Offensichtlich war sie noch nicht allzu lange in Therapie. Sonst hätte man sie längst darüber aufgeklärt, dass die Essensverweigerung nur ein Symptom für andere, komplexere Problematiken darstellte.

Aber ich würde den Psychologen hier nicht den Spaß verderben und ihnen die Arbeit abnehmen.

„Essen ist auch widerlich", bestätigte ich sie.

Sie strahlte mich an. „Findest du?"

„Klar", sagte ich. „Alleine schon der Verdauungsvorgang. Wenn man sich bewusst macht, dass man ein Loch im Körper hat, um täglich kiloweise Giftmüll aus sich herauszupressen – das ist extrem widerlich, oder etwa nicht? Mir wäre es am liebsten, wir könnten über Photosynthese funktionieren, das ist eine ziemlich saubere und wohlriechende Ernährungsform. Sonne, Wasser, Chloroplasten. Elegant und schön grün. Im Gegensatz zu uns Menschen: Tonnenweise stinkende Fäkalien, die wir tagelang in unserem eigenen Darm mit uns herumschleppen. Ganz zu schweigen von den fauligen Gasen. Wenn du jemandem den Bauch aufschneidest: Du würdest ohnmächtig von dem Mief!"

Jetzt strahlte Pia nicht mehr.

„Entschuldige, mir ist übel. Ich muss schnell zur Toilette", stammelte sie und eilte davon. Anscheinend hatten meine Ausführungen über die Zersetzungsprozesse des Speisebreis nicht für gute Laune gesorgt, wie beabsichtigt. Ich überlegte kurz.

„Aber nicht, dass du jetzt wegen mir doch noch zur

Bulimikerin wirst", rief ich dann fröhlich hinter ihr her. „Deine Anorexie ist auch schon sehr interessant!"

Eine kleine Gruppe von Leuten drehte sich entsetzt zu mir um.

Ich seufzte. Warum reagiert ihr immer mit solchen irrationalen Gefühlen auf die normalen Prozesse eures eigenen Körpers? Egal ob Scheißen, Ficken oder Sterben; all das tun wir alle. Manches davon mehr, manches davon weniger oft. Und über nichts davon darf man sich sachlich unterhalten.

Dann trottete ich der kleinen Gruppe hinterher zum Speisesaal.

Wie ihr bereits wisst: Schon allein der Prozess der Nahrungsaufnahme war keiner, der mir unbedingt Freude bereitete.

Und wo mich in Norwegen noch diese unerklärliche Leichtigkeit des Seins, ausgelöst durch eine völlig unerklärliche Verblendung, dazu beflügelt hatte, wahllos Dinge zu mir zu nehmen, so drückte mich hier auf deutschem Psychiatrie-Boden eine Schwere hinunter, die mir jeden Appetit nahm.

Außerdem war es laut und voll und bunt und roch nach wild durcheinandergeratenen Lebensmitteln und Schweiß und Parfum und Weichspüler und Angst.

Ich suchte mir die hinterste Ecke am hintersten Tisch. Bevor mir auffiel, dass ich zurück ans Buffet musste.

Ich malte mit dem rechten Fußzeh fünf Mal ganz schnell ein winziges Gesicht und zählte drei Mal auf zehn, einmal in Blau, einmal in Türkis und einmal in Grün.

Dann zwang ich mich dazu, mich in die organische Schlange aus Menschenleibern einzureihen, um mir irgendwas auf den Teller zu häufen. Ich hatte nicht die geringste Lust hier etwas zu essen. Aber meine Speicher mussten eben mit Kalorien aufgefüllt werden. Sonst rächte sich mein Organismus und ließ auch meinen Geist schlechter funktionieren. Ich kannte das.

So ein Körper benötigte einen ganz schön aufwendigen Wartungsprozess: regelmäßige Nahrungsaufnahme aus artgerechten Futterquellen und regelmäßige Bewegung und gezielte Stärkung aller Muskelgruppen, sowie ausreichend Schlaf und eine gute Stressbewältigungstaktik.

Ihr seid selbst schuld, wenn ihr krank und dick werdet, Haltungsschäden und Burnouts bekommt. Weil sich kaum jemand von euch die Mühe macht, sich selbst artgerecht zu halten. Manchmal muss ich herzlich über die militanten Tierschützer lachen, wenn sie sich über die falsche Pflege von Meerschweinchen ereifern. Zu kleine Käfige, zu wenig soziale Zuwendung, zu viel Stress, falsche Ernährung?

Ich hatte einmal eine dahingehend sehr anregende Diskussion mit einem von denen, der eine gute Zielscheibe abgab. Weil er selbst fett und offensichtlich einsam war. Und rauchte. Am Ende weinte er.

Weil er es mir wahrscheinlich glaubte, dass er seine eigene unglückliche Situation und die Ohnmacht, etwas daran zu ändern auf jedes winzige Meerschweinchen projizierte. Und seine Motivation, diese armen Kreaturen aus ihrem Elend zu erlösen eigentlich daraus erwuchs, dass er hoffte, irgendjemand würde ihn befreien.

Die Leute weinen verhältnismäßig oft, wenn sie mit mir diskutieren. Und nur ganz selten aus Freude.

Ich weine nie. Inzwischen. Früher war das anders. Ich brach sozusagen ununterbrochen in Tränen aus. So extrem, dass ich literweise trinken musste, um nicht zu dehydrieren. Nein, das war ein Scherz. Obwohl... es mussten tatsächlich literweise Tränen gewesen sein, die ich so im Laufe meiner Kindheit vergossen hatte.

Ich stand im Fahrstuhl des Einkaufszentrums, als Chopins Nocturne Opus 9 Nr.2 aus den Lautsprechern erklang. Und die plötzliche Schönheit dieser eindringlichen Melodie schnitt sich so liebevoll durch den Horror dieser furchtbaren Umgebung, dass ich stante pede losplärrte.

Ich sah einen alten Mann mit Krücken auf einer Parkbank, in dessen Blick so viel Sehnsucht und Erinnerung steckte, als er ein paar ballspielende Kinder beobachtete, dass ich ebenfalls stante pede losplärrte.

Ich plärrte los, als Godzilla starb.

Ich plärrte los, weil ich entsetzliche Angst vor dem Schlaf hatte, wie ihr wisst. Und vor der Sonne.

Meine Eltern versuchten, logisch zu denken, was sie echt besser unterlassen sollten, und schlussfolgerten, dass ich auch Angst vor Fahrstühlen, alten Männern auf Parkbänken und Godzilla hatte.

Aber da war mir schon lange klar geworden, dass ich keine Chance hatte, mich und meine Nöte verständlich zu machen.

Gleichzeitig fand ich es extrem faszinierend, dass ausgerechnet dieser irrationale Mechanismus bei mir genauso funktionierte wie bei allen anderen. Oder eher sogar besser. Deswegen rannte ich als Kind immer vor den Spiegel, wenn ich heulte und betrachtete verwundert die Tränen. Darüber vergaß ich erstens immer, worüber ich eigentlich geheult hatte. Und zweitens brachte mir das den Ruf innerhalb meiner Familie ein, nicht nur besonders ängstlich, sondern auch besonders eitel zu sein.

Inzwischen kann ich überhaupt nicht mehr weinen. Keine Ahnung warum. Aber ich ahne, dass es kein gutes Zeichen ist.

Möglicherweise war das so ein kleiner Rest Menschlichkeit, der mir geblieben war. Möglicherweise weine ich noch ein letztes Mal, wenn ich gleich sterbe.

Es wird immerhin äußerst schmerzhaft sein. Ich würde gerne weinend sterben. Dann könnte auf meinem Grabstein stehen: She died crying. Fragt mich nicht, warum es auf Englisch sein muss. Das klingt besser. So wie Songtexte. Kennt ihr das? Ihr findet ein Lied so richtig genial, bis ihr es auf Deutsch übersetzt? Und dann denkt ihr, was für ein idiotischer Mist, hat das ein Erstklässler auf Ritalin zusammengereimt?

She died crying. Und niemand außer euch und mir wüsste, dass dies für einen friedvollen Tod stehen würde.

Na ja, friedvoll für die Seele. Mein Körper wird ein Schlachtfeld sein. Ihr habt so ein Glück, dass ich dann tot sein werde, und euch nicht mehr in allen Einzelheiten beschreiben kann, was mit meinem Körper alles geschehen ist, bevor er tatsächlich aufgibt. Euch würde wahrscheinlich genauso übel werden, wie der pinken, traurigen Pia.

Denn darum ging es zwischen NaturalBornKiller und mir.

NaturalBornKiller. Ich trug ihn stets bei mir. Seit einigen Wochen. Seitdem wir uns in den dunkelsten Tiefen der schwärzesten Ecken des Internets über den Weg gelaufen waren, hatte ich ihn sozusagen stets in meiner Tasche. In jeder freien Minute chattete ich mit ihm. Zuerst in dem Forum über Psychopathen, in dem wir uns kennengelernt hatten, inzwischen längst über WhatsApp.

Ich glaubte nicht an Bestimmung und Schicksal. Natürlich nicht. Das taten nur Mädchen, die Vampirbücher lasen und auf ihren eigenen glitzernden Untoten hofften, der sie heiratete. Romantasy, ihr erinnert euch?

Spätestens seit Finn glaubte ich auch nicht mehr an die Liebe. Na schön, das hatte ich noch nie, oder nur vorübergehend.

Aber spätestens seit NaturalBornKiller glaubte ich ein winziges Bisschen an Bestimmung. Dabei war es mir egal, ob es nur ein Zufall war oder Vorsehung. Falls ja, dann hatte wohl nicht Gott das eingefädelt. Der Arsch hielt sich ja sowieso immer schön aus allem Ärger raus.

Noch war ich nicht so weit, das gesamte Potential zu erfassen, dass sich durch die Begegnung mit NaturalBorn-Killer eröffnete. Aber er hatte mich bereits wie ein unsichtbarer Schutzengel durch meine letzten bescheuerten Wochen begleitet.

Niemand wusste von ihm. Ich trug ihn als schwarzen, leuchtenden Schatz tief in meinem schwarzen Herz versteckt. Und niemand sollte jemals von ihm erfahren. Bis auf euch. Ihr erfahrt exklusiv den letzten Teil meiner Geschichte mitsamt dem unsichtbaren Protagonisten, den ich nicht mal bereit war, Dr. Fuchs preiszugeben.

Denn NaturalBornKiller sollte derjenige sein, der mich tötet.

Er wird es gleich tun. In wenigen Augenblicken. Ich habe diesen Moment herbeigesehnt, wie nichts Vergleichbares je zuvor.

Kennt ihr diese Hollywood Teenie Filme, in denen das Mädchen zuhause auf den Typ wartet, der sie zum Abschlussball abholen wird? Ausstaffiert in einem teuren Kleid aus feinstem Stoff in einer Farbe, die ihrem Teint schmeichelt. Die Haare aufwendig gesteckt. Geschminkt. Mit klopfendem Herz und bebendem Busen. Diesen Moment erwartend, der den absoluten Höhepunkt ihres bisherigen Lebens darstellen wird. Natürlich läuft das so nur im Film ab. Ihr könnt mir nicht erzählen, dass irgendeine echte Person im echten Leben irgendeinen blöden Abschlussball in Begleitung irgendeines pickligen Typen als Höhepunkt ihres bisherigen Lebens empfindet.

Aber nehmen wir einfach mal diese Hollywoodversion. Ihr habt das Bild vor Augen?

Dann setzt jetzt einfach Lily in diese Rolle ein. Sie trägt kein Ballkleid. Aber ihr zu kurzer Rock aus löchrigem schwarzem Tüll, die schwarzen Strümpfe mit den Laufmaschen und das schwarze Top mit den aufgedruckten weißen Engelsflügeln fühlen sich so an. Ihr kurzes schwarzes Haar bewegt sich wie ein Federkleid im leichten Wind. In der Hand hält sie eine weiße Lilie.

Die frische Luft kühlt ihre warmen Wangen. Ihr fiebriger Blick schweift über die Menschen am Bahnhof nach der roten Lilie ihres Gegenübers. Rot wie Blut.

Ist das nicht romantisch?

Ich sagte doch: Ihr bekommt ein Happy End.

NaturalBornKiller: Es ist weit nach Mitternacht. Was mag der Grund für deine Schlaflosigkeit sein?

BrokenAngel: Keine Ahnung. Vielleicht die Gewissheit, absolut alleine in einem Irrenhaus zu sein?

NaturalBornKiller: Das sind nichts weiter als ein paar traurige Kinder.

BrokenAngel: Mit Irrenhaus meinte ich den gesamten Planeten.

NaturalBornKiller: Dann widerspreche ich dir keinesfalls. Aber du bist weit davon entfernt, allein zu sein.

BrokenAngel: Warum?

NaturalBornKiller: Weil es mich gibt. Ich bin der schwarze Schatten in der Dunkelheit, der auf dich lauert.

BrokenAngel: Und das soll jetzt irgendwie beruhigend sein?

NaturalBornKiller: Ist es das etwa nicht?

BrokenAngel: Doch. Komischerweise schon.

Vierzehn

Es war nicht so ganz einfach, den Klinikalltag und NaturalBornKiller zu vereinbaren; beides kostete viel Zeit.

Und beides war auf eine spezielle Art und Weise höchst interessant. In der ersten Hälfte hatte die Therapie für mich Priorität, nämlich als ich noch glaubte, sie wäre vielleicht tatsächlich für etwas gut. Als ich dann feststellte, dass dem nicht so war, widmete ich mich immer intensiver meinem neuen Freund und Mörder.

Gleich am ersten Tag allerdings erfuhr meine neu erwachte, zarte Hoffnung einen ordentlichen Dämpfer. Nämlich als ich die erste Stunde mit meinem bereits bekannten persönlichen Individual-Betreuer, dem gar nicht so lustigen Herr Lustig, hatte.

Der mich dann übrigens genauso wenig lustig fand wie ich ihn.

Wir hatten keinen besonders erfreulichen Start gehabt.

Und das setzte sich fort.

Für unsere erste Stunde nach dem Mittagessen erschien ich pünktlich in Raum Nr.144. Die Tür stand offen, ich trat ein. Und wäre fast wieder rückwärts hinauskatapultiert worden; das lebendig gewordene Klischee eines Gelehrtenzimmers stieß mich ab wie ein Magnet.

Ein schwerer Holzschreibtisch mit erleuchtetem Globus. Wändeweise Bücherregale mit wichtigen dicken Wälzern. Tierfelle auf dem Boden. Eine abgewetzte Ledercouch. Durchbrochen von typisch esoterischem Schnickschnack: Kristallanhänger an den Fenstern. Räucherstäbchen auf dem Schreibtisch. Sitzkissen in Regenbogenfarben auf dem Boden. Walgesänge aus den Lautsprechern.

Herr Lustig, auf seinem Ohrensessel in zentraler Lage

wie der König eines kleinen Reiches, sah meinen entsetzten Blick und verwechselte ihn mit Bewunderung. Das würde ihm a. kein einziges weiteres Mal mehr passieren und sagte b. schon einiges über sein Talent als Psychologe aus.

„Hallo Lily, tritt ein.", sagte er in dem gönnerhaften Ton, den er für Freundlichkeit hielt. „Ich weiß, die meisten Leute verbinden mit einer Psychiatrie sterile weiße Räume. Aber ich war schon immer ein bisschen unkonventioneller eingestellt."

„Ich mag sterile weiße Räume", erklärte ich etwas verbissen. Es kostete mich immer noch Überwindung, nicht einfach wieder zu gehen.

Herr Lustig überhörte meinen Kommentar großzügig.

„Nimm Platz, wo immer du willst!", forderte er mich auf.

„Dann würde ich den Ohrensessel bevorzugen", entgegnete ich. Nur um ihn zu ärgern, ich gebe es ja zu. Aber sein blödes Angebot nervte mich, weil es unkonkret und gelogen war, denn seinen Ohrensessel rückte er natürlich nicht heraus.

Er lachte so, als würde er sich amüsieren, obwohl er das nicht tat.

„Ach nein, das willst du nicht, das alte Ding ist schon völlig durchgesessen von meinem alten Hintern."

Ich fühlte ganz deutlich, wie sich meine Gesichtsmuskeln noch mehr zu versammelter Verbissenheit formten. Er brauchte erst gar nicht zu versuchen, die Distanz zwischen Patienten und Arzt durch Beschreibungen seines Hinterteils zu überbrücken.

Mit aller höflichen Reserviertheit, die ich noch aufzubringen vermochte, ließ ich mein eigenes Hinterteil auf der äußersten Ecke des Sofas nieder und harrte der Dinge, die da kommen sollten.

Ich malte mit dem rechten Fußzeh fünf Mal ganz schnell ein winziges Gesicht und zählte drei Mal auf zehn, einmal in Blau, einmal in Türkis und einmal in Grün.

„Du machst ja einen recht gelassenen Eindruck, Lily", begann mein Therapeut das Therapiegespräch.

„Ja", sagte ich, „aber das liegt bestimmt nicht an den unsäglichen Walgesängen."

„Ich verstehe, dass du von deinem eigenen Schicksal auf etwas anderes, Alltägliches ablenken willst. Aber wir sind beide zusammen hier in diesem Raum Lily, weil es hier nur um dich gehen soll."

Ich zog es vor zu schweigen. Das störte ihn nicht.

„Willst du mir mit deinen eigenen Worten erzählen, warum du hier bist, Lily?"

„Nein", sagte ich ohne zu Zögern.

Er stutzte kurz.

„Ich würde es aber gern von deiner Seite hören, Lily. Bisher kenne ich nur die Version deiner Eltern und deiner Lehrer."

„Und die meiner Betreuer aus der Jugendfreizeit", half ich ihm nach.

„Jaja, und die auch. Nur nicht deine. Wie fühlt es sich an, wenn andere Menschen über dich urteilen, Lily?"

„Sie stellen kein Vertrauensverhältnis zwischen uns her, nur weil Sie ständig meinen Namen wiederholen", klärte ich ihn auf.

„Aber ich hätte gern ein Verhältnis von Vertrauen und Respekt zu dir, Lily, weil ich dir helfen möchte. Ich bin hier als dein Freund, nicht als dein Feind. Dafür verspreche ich, immer offen und ehrlich zu dir zu sein. Und das Gleiche erwarte ich von dir auch."

„Absolut kein Problem."

So viel konnte ich ihm tatsächlich versprechen. Aber

ich war neugierig, wann er das bereuen würde. In bereits fünf oder erst zehn Minuten?

„Gut, gut." Er lehnte sich zufrieden auf seinem Thron zurück.

„Dann mache ich einfach mal den Anfang, vielleicht wird es dadurch leichter für dich."

Er verkniff sich das „Lily" am Ende, ich konnte es genau erkennen.

„In Ordnung", zeigte ich mich kooperativ. Ich versuchte es ja. Wirklich.

Mit einem theatralischen Räuspern schlug Herr Lustig meine Akte auf.

„Ich habe hier die gesamten Ergebnisse der Tests, die du vor der Aufnahme ausfüllen musstest. Und die Stellungnahme aller, die von deiner, nun, ich nenne es mal, deiner eigenen Art der Problembewältigung, betroffen waren."

Diese Umschreibung der Differenzen mit meiner Umgebung wiederum gefiel mir ganz gut. Ich beschloss, sie mir zu merken.

„Es scheint mir, dass du in deinen jungen Jahren schon sehr viel Unglück erlebt hast, Lily."

Na bitte. Ich hatte gewusst, dass er es nicht lange ohne meinen Namen durchhalten würde.

„Und dass du viele andere Menschen unglücklich gemacht hast. Siehst du das genauso?"

„Ja, ich denke, das könnte man so formulieren", stimmte ich ihm zu.

„Deine Eltern scheinen mir verzweifelt. Was ist das für ein Gefühl, wenn die eigenen Eltern wegen dir, ihrem Kind verzweifelt sind?"

„Ein vertrautes", befand ich.

„Keiner von deinen Mitschülern scheint dich zu mögen. Ist das nicht traurig?"

„Nein, das ist eher erfreulich."

„Du darfst in diesem Raum alle negativen Gefühle zulassen, Lily, das ist keine Schande."

„Ok."

„Du siehst aus wie ein kleiner Engel Lily, aber in deinem Inneren ist es dunkel und trostlos."

„Ja, ich trage sozusagen ein Engelskostüm." Jetzt war ich an der Reihe, zufrieden zu klingen.

„Du musstest einen starken Panzer errichten, all die Jahre, richtig, kleine Lily? Das muss unendlich viel Kraft gekostet haben. Aber du darfst all die Traurigkeit jetzt herauslassen!"

Er blickte mich sehr ernst und mehr als nur ein bisschen auffordernd durch seine goldberandete Brille an.

„Danke, ich verzichte.", lehnte ich höflich ab.

„Du bist noch so jung, kleine Lily, aber dein Leben ist bereits ein Scherbenhaufen. Das kann man durchaus tragisch nennen. Das schmerzt sogar mich."

„Ich bin in diesem Scherbenhaufen aufgewachsen.", klärte ich ihn auf.

„Machen Sie sich keine Sorgen um mich. Aber falls Sie weinen müssen, hier stehen Taschentücher bereit."

Jetzt bekam sein Blick etwas leicht Verzweifeltes.

„Ich kann mir schon vorstellen, dass Weinen dir helfen würde.", versuchte er es noch einmal.

Jetzt hatte meine Geduld ihr Ende. Sein wenig perfides Spiel begann mich maximal zu langweilen.

„Ich habe bereits von Anfang an durchschaut, dass Sie mit Ihrer provokanten Taktik bezwecken, mich zum Weinen zu bringen", klärte ich ihn auf. „Aber das können Sie vergessen. Ich weine nicht. Und schon gleich gar nicht, wenn ein frustrierter alter Mann, der immer noch dem Fakt nachtrauert, dass er es nie zum Uni-Professor geschafft hat, versucht, routinemäßig meinen Widerstand zu brechen, um sich selbst zu befriedigen, und ich meine das jetzt nicht im sexuellen, sondern im intellektuellen Kontext, obwohl ich mir da leider auch nicht absolut sicher bin."

Weil er mich jetzt anstarrte, ohne etwas zu erwidern, nutzte ich das Schweigen, um hinzuzufügen:

„Nur weil alle jungen Psychologinnen Sie hier als alten weisen Mann anhimmeln, brauchen Sie nicht zu glauben, dass ihr Ansatz durch gezielte Provokation Emotionen zu eruieren, wirksam ist. Der stammt noch aus den 70ern und ist längst überholt."

Ich hatte nicht geahnt, dass jemand, der Lustig hieß, so böse schauen konnte. Also so richtig, richtig böse. Das wiederum war so amüsant, dass ich spontan etwas loskicherte.

Was die angespannte Stimmung nicht etwa lockerte, wie es die eigentliche soziale Bestimmung von Gelächter war.

Im Gegenteil.

Durch das kurze Schweigen tönten die gequälten Schreie der für Wohlfühlzwecke missbrauchten Meeresriesen.

„Und Sie sollten es noch einmal gründlich überdenken, ob diese schauderhaften Geräusche sich positiv auf Ihre Therapie auswirken", nutzte ich die Gelegenheit. „Mich zum Beispiel macht das eher aggressiv."

Herr Lustig hatte ein paar rote Flecken im Gesicht bekommen. Er räusperte sich abermals.

„Mir scheint, du brauchst noch etwas Zeit, dich hier einzugewöhnen, Lily", sagte er sehr schnell, ohne mich dabei anzusehen. „Wir setzen die Therapie morgen fort."

„Und therapiere ich gerade Sie oder Sie mich?"

Das war ausnahmsweise eine bewusste Provokation. Aber ich war aufrichtig verärgert von seiner Inkompetenz.

Ich hatte mir durch den vielversprechenden Anfang mit Herrn Fuchs mehr erwartet. Und die Stunde einfach abzubrechen, weil ein Therapeut in Bedrängnis geriet, empfand ich als feige.

Na ja, was soll ich noch groß erzählen. Das war das Ende von Herrn Lustig in der Position als mein persönlicher Psychologe.

Aufgrund meiner persönlichen Entscheidung. Ihm war zugutezuhalten, dass er nicht so schnell aufgegeben hätte. Aber am nächsten Tag brachte er mir, als die Freundlichkeit in Person, zwei Bücher vorbei.

„Narzissmus – wenn die Seele nach Liebe schreit" und „(K)eine Katastrophe für sich selbst und alle anderen: Borderline".

Kooperativ nahm ich sie mir mit in den Raucherpavillon.

Dort saß der fetteste Junge, den ich jemals gesehen hatte. Also so wirklich, wirklich fett. So, dass nicht mal mehr ein Gesicht übrigblieb, sondern nur noch die Karikatur menschlicher Mimik, mit winzigen Punkten für Augen, Nase und Mund.

Mein eigener Mund blieb mir kurz offen stehen.

„Du bist der absolut fetteste Junge, den ich jemals gesehen habe!", sagte ich.

Er wandte sich mir mit diesem Ausdruck von resignierter Verzweiflung zu, die hier irgendwie aus allen Augen blickte.

„Ich weiß", antwortete er. „Ich bin widerlich. Tut mir leid, ich gehe gleich."

„Ach was", sagte ich, „rede keinen Müll. Du bist nicht widerlich. Willst du eine Zigarette?"

„Ja?"

„Was jetzt, war das eine Antwort oder eine Gegenfrage?"

„Eine Antwort?"

Ich seufzte, setzte mich neben ihn und hielt ihm die Schachtel hin.

„Dein Fett ist vielleicht schon ein bisschen widerlich", nuschelte ich, während ich mir selbst eine anzündete. „Aber eine ganze Menge an so einem menschlichen Körper ist widerlich. Du steckst da doch nur drin."

„Die anderen aus meiner Klasse nennen mich nur die Fettsau."

„Naheliegend", bestätigte ich. „Aber das solltest du nicht persönlich nehmen. In sozialen Gefügen wird stets ein schwaches Mitglied zum Opfer gemeinschaftlicher Mobbingaktionen. Wusstest du, dass der Begriff „Mobbing" ursprünglich aus der Tierforschung kam?"

„Nein", sagte er schüchtern. Er war wahrscheinlich nicht nur fett, sondern auch dumm.

„Dabei würdest du ziemlich gut aussehen, wenn du 50 Kilo weniger hättest."

„Wirklich?"

„Ja, du bist ziemlich groß, etwa 190 cm, richtig?"
Er nickte.

„Und man kann trotz dem ganzen Fett immer noch sehen, dass du breite Schultern und ein ausgeprägtes Kinn hast. Das sind Merkmale von dominanter Männlichkeit, die bei Frauen gut ankommen."

„Echt?"

„Ja. Hör einfach auf, dich selbst zu bemitleiden, das ist unmännlich."

„Ok..."

„Du könntest nach Japan gehen", überlegte ich weiter. So langsam machte das Spaß. „Aufgrund der Verehrung der

Sumo - Ringer gelten dort fette Männer immer noch als attraktiv. Als Sumo Star hättest du einen Haufen weiblicher Groupies."

Jetzt starrte er mich mit offenem Mund an. Allein die Vorstellung, ein einziges Groupie zu haben, brachte ihn bestimmt völlig durcheinander.

„Ich gehe jetzt wieder auf mein Zimmer", stotterte er.

„Ja, aber wenn du dir jetzt einen runterholst, denke bitte nicht an mich."

Zum ersten Mal sah ich ihn grinsen. „Keine Sorge, du bist nicht mein Typ."

„Da bin ich aber froh."

„Bis später."

Ich malte mit dem rechten Fußzeh fünf Mal ganz schnell ein winziges Gesicht und zählte drei Mal auf zehn, einmal in Blau, einmal in Türkis und einmal in Grün.

Dann widmete ich mich den Büchern. Die waren tatsächlich nicht uninteressant, und in der Quintessenz ergab sich: Herr Lustig hatte mich als narzisstische Borderlinerin diagnostiziert.

Das war entweder ein Kompliment oder eine geradezu offensive Beleidigung, die ausreichte, um dafür ein Duell auf Leben und Tod einzufordern.

Leider war mir diese Option verwehrt. Obwohl ich mir für einen Degenkampf eindeutig die besseren Chancen ausrechnete.

Ich dachte kurz darüber nach, ob ich die Therapie bei ihm als Zweikampf nutzen sollte. Aber das würde ein kindisches Vergnügen darstellen.

Schließlich hatte ich beschlossen, mich hier retten zu lassen. Oder besser: Die Hoffnung hatte mir eingeflüstert, dass diese Möglichkeit bestünde. Dumme Fotze.

Ich entschied mich dafür, einen neuen Therapeuten

einzufordern.

Dafür stellte ich einen formellen, schriftlichen Antrag mit dem einzigen funktionstüchtigen Kugelschreiber, den es im ganzen Haus gab, auf den Rückseiten irgendeines sinnlosen Tests bei der Klinikleitung, also bei Dr. Fuchs. Und ich teilte Herrn Lustig persönlich meinen Entschluss fest.

Das bestärkte bestimmt seine Diagnose. Und bestimmt petzte er auch bei Dr. Fuchs, sonst hätte mir dieser nicht schon einen Tag später gleich nach dem Frühstück eine Sonderstunde einberaumt.

Wer von euch war bereits einmal in Therapie? Jeder, oder? Kleiner Scherz. Es ist nur schwer vorstellbar, dass irgendjemand, mit dem alles in Ordnung ist, meine Geschichte freiwillig bis hierher angehört hat.

Die Mädchen, mit denen alles in Ordnung ist, die lesen Machwerke aus dem Genre „Romantasy".

Die Jungs, mit denen alles in Ordnung ist, lesen gar nicht.

Doch wirklich, ich habe den scheußlichen Begriff „Romantasy" nicht erfunden, sondern selbst in Buchhandlungen gesehen. Und probeweise in einige Titel hineingespäht. Dabei konnte ich keine großen Unterschiede in Handlung oder Hauptdarstellern feststellen; jedes Mal hatte irgendein Mädchen ein echt langweiliges Leben, bevor der geheimnisvolle Fremde auftauchte. Und egal, ob es sich dabei um einen Vampir/Dämon/Werwolf/Zombie/Elf handelte, er war stets ein düster dreinblickender Typ, der wegen irgendwas herumschmollte und keine Freunde hatte.

Echt jetzt? Das ist euer ideales Männerbild? Ich will eine von euch sehen, die es länger als eine Woche schaffen würde, mit so einem Arsch zusammen zu sein.

Obwohl das, worauf Jungs so abfahren, auch nicht

besser ist. Nein, ich meine nicht große Titten und enge Kleider. Das wäre in seiner simplen Bescheidenheit beinahe schon wieder akzeptabel.

Ich meine das Idealbild von netter Langeweile. Laut einer Studie ist die Traumfrau aller Deutschen eine Schlagersängerin, die mit glatter Perfektion die Heile-Welt-Mutti mimt und dabei so erotisch ist wie ein steriler Vanillepudding mit Zuckeraustauschstoff.

Wahrscheinlich liegt in dieser Kombination die Ursache für die hohe Scheidungsrate. Ich meine, da prallen doch zwei völlig unterschiedliche Erwartungen aufeinander:

Die Frauen sehnen sich nach einem gefährlichen Griesgram mit schicker Frisur, der ihnen ein Luxusleben und magische Kräfte schenkt, während die Männer sich eine blonde Charakterlosigkeit wünschen, die ihnen Apfelkuchen backt und ab und zu einen bläst.

Das ist faszinierend und tragisch. Und ziemlich amüsant. Ich denke, wenn ich länger gelebt hätte, würde ich auch Psychologie studieren, mit Schwerpunkt auf den Interaktionen zwischen den Geschlechtern. Obwohl... Das würde zu schnell in routinemäßiger Ödnis verlaufen.

Nein, mein Schwerpunkt läge wahrscheinlich tatsächlich bei Psychopathen und Mördern, also am liebsten bei mörderischen Psychopathen. Mit denen habe ich mich jetzt so lange beschäftigt, ohne nachlassendes Interesse.

Kurz hatte ich mir überlegt, die letzten Stunden mit NaturalBornKiller durch Videoaufnahmen zu dokumentieren.

Die Vorstellung, dass ein Film davon existieren könnte, der minutiös zeigt, wie mir die Kehle mit einem Teppichmesser aufgetrennt wird, bevor mein blutleerer Körper Stück für Stück zerlegt wird, ist faszinierend.

Allerdings wird es nicht so schnell gehen. NaturalBorn-Killer hat genaueste Vorstellungen davon, wie er meinen Tod möglichst lange zelebrieren kann. In einiges davon bin ich eingeweiht, anderes wird sich als Überraschung herausstellen.

Ich hoffe nur, dass keine Kettensägen dabei eine Rolle spielen werden. Ich hoffe nur, ich werde nicht schreien. Das hätte etwas Würdeloses. Aber ich bin mir sicher, dass NaturalBornKiller mich zum Schreien bringen will.

Er ist immerhin ein sadistischer Psychopath.

Genau deswegen wäre ein Filmmitschnitt eine überaus lehrreiche Dokumentation für alle Kriminologen.

Aber was meine letzten Minuten auf dieser Welt angeht... da werde ich ganz untypisch und ziemlich peinlich sentimental. Es wird der intimste Moment werden, den ich jemals mit einem anderen Menschen hatte.

Oder könnt ihr euch etwas Intimeres als den Akt des Tötens vorstellen?

Sex? Vergesst das. Sex war für mich leider genau so enttäuschend wie alle anderen Arten der Interaktion mit Menschen auch, allen gegenteiligen kindlichen Erwartungen zum Trotz. Möglicherweise macht Sex dann Spaß, wenn eine seelische Verbindung zwischen zwei Individuen herrscht. Ansonsten ist er todlangweilig.

Eine Art von seelischer Verbindung hatte ich erstmalig mit NaturalBornKiller.

Und deswegen möchte ich keine Zuschauer, wenn er mich tötet.

Keine Sorge, ich werde nicht einfach so gehen. Wir werden uns entsprechend vorher endgültig verabschieden. Ihr bekommt eure kleine Schlussrede. Mit Umarmung und Küsschen und allem.

Das habt ihr euch verdient. Ihr wart ziemlich tapfer bis

jetzt.

Ich kann mir nicht vorstellen, dass ihr so richtig viel Freude mit mir hattet. Oder wenn, dann stimmt was nicht mit euch, ihr Psychos. Aber freut euch darüber, dass ihr Psychos seid. Das ist heilbar.

Ich bin nicht heilbar.

Das erklärte mir Dr. Fuchs ziemlich überzeugend. Ich sage doch, der Typ war kompetent.

Zuerst einmal hatten wir unser Date nach dem Frühstück.

Eigentlich hatte ich erwartet, dass er viel weniger freundlich zu mir sein würde als zuvor. Das war schließlich so die normale Entwicklung der Menschen, die länger mit mir zu tun hatten: Verschiedene Abstufungen von freundlich über höflich mit einem kleinen Umweg zu irritiert, verärgert und schließlich zu verzweifelt.

Aber Dr. Fuchs lächelte mich hinter seinem Schreibtisch genauso offen an wie am ersten Tag.

Sein Zimmer war genauso schlampig wie er. Es gab vor allem Akten - und Papierberge und eine langsam verendende Yucca-Palme.

„Pflanzen dienen generell dazu, einen Raum freundlicher zu machen", sagte ich. „Aber die hier lädt eher dazu ein, über die Vergänglichkeit allen Seins zu sinnieren."

„Was besonders für Depressionen nicht unbedingt ideal ist, du hast recht." Dr. Fuchs musterte das Gestrüpp kritisch. „Andererseits ist es eher ungewöhnlich, dass ich Patienten hier empfange. Ich leite zurzeit nur eine Therapiegruppe, ansonsten kümmere ich mich um das hier."

Er machte eine ausschweifende Bewegung, um den chaotischen Papierüberfluss zu erfassen.

„Wenn Sie das Kümmern nennen, von mir aus."

Und er reagierte immer noch nicht irritiert auf mich

ohne meine Filterfunktion. Ich stellte fest, dass ich wirklich anfing, ihn zu mögen. So ein ganz schüchternes Mögen. Ihr wisst schon, so wie ein geprügelter Hund, der zum ersten Mal in seinem Leben gestreichelt wird, der Sache noch nicht so richtig traut und den Schwanz immer noch zwischen den Beinen eingeklemmt hat.

„Ach na ja...", Dr. Fuchs zuckte mit den Schultern. „Wenn ich jemanden hätte, der mir die Löcher in meinen Pullovern stopft, dann hätte ich vielleicht mehr Zeit für so unwichtiges Zeug wie Entlassberichte."

„Wenn ich Löcher in Pullovern stopfen könnte, hätte ich in der zweiten Klasse keine Sechs in Handarbeiten von der unerfreulichen Frau Müller bekommen."

Dr. Fuchs lachte.

„Lass mich raten, Frau Müller und du, ihr habt einige Diskussionen über den Sinn des Erlernens hauswirtschaftlicher Tätigkeiten geführt?"

„Korrekt! Und darüber, dass es puren Sexismus darstellt, dass die Mädchen zum Handarbeiten eingeteilt werden und die Jungen zum Werkunterricht."

„Und wie ging diese sicherlich hitzige Debatte aus?" Er sah aufrichtig neugierig aus.

„Ich durfte vorübergehend zu den Jungen in den Werkunterricht."

„Warum nur vorübergehend?"

„Weil die Jungen mich nicht dabeihaben wollten. Matthis sagte, ein kleines, schwaches Mädchen hätte nichts beim Schnitzen zu suchen."

„Und dann?"

„Dann zerbrach ich seinen blöden Holzlöffel auf der Tischkante."

„Woraufhin..."

„Woraufhin ich zu den Mädchen zurückmusste. Was

ich durch Arbeitsverweigerung kritisierte."

„Ein Streik sozusagen. Ein legitimes Mittel bei einem Konflikt"

„Absolut. Aber dafür bekam ich die Note Sechs und wäre fast wegen dem verfickten Handarbeiten sitzengeblieben."

„Und wie ging die Geschichte aus?"

„Ich führte mit dem Schulleiter eine noch hitzigere Debatte über das veraltete Schulsystem und forderte Reformen."

„In der zweiten Klasse Grundschule?"

„Ja."

„Ich nehme an, der Schulleiter zeigte sich wenig kooperativ?"

„Er quittierte mein renitentes Verhalten mit einer Woche Suspendierung und einem Besuch beim Schulpsychologen."

„Ich habe hier eine Menge Berichte von Psychologen aus deiner Kindergarten - und Grundschulzeit."

„Ich war damals bei einer Menge Psychologen."

„Die letzten Jahre wurde es ruhiger. Warum?"

„Ich wurde erst unsichtbar und dann klassifizierbar rebellisch."

„Das erklärt es."

Dr. Fuchs blickte mich nachdenklich an. Komischerweise empfand ich es nicht als unangenehm. Es war so ein zugewogenes Nachdenken.

„Du musstest als Kind viele Tests machen, oder?"

„Ja, sehr viele."

„Die Ergebnisse, die ich hier sehe... nun, sie überraschen mich. Sie haben nicht viel mit dem gemeinsam, wie ich dich hier erlebe."

„Nicht?" Jetzt war ich überrascht.

„Diese ganzen Tests... kannst du dich daran erinnern?"

„Natürlich!" Ich war fast ein wenig gekränkt durch die dumme Frage.

„Ich meine damit, könntest du mir bitte erklären, was deine persönliche Meinung zu diesen Tests ist?"

Ok, ich mochte diesen plötzlichen Rollenwechsel nicht, denn jetzt war ich diejenige, die Irritation empfand. Hatte er mich echt nach meiner Meinung gefragt?

„Es irritiert mich außerordentlich, dass Sie anscheinend aufrichtig an meiner persönlichen Meinung interessiert sind."

„Es irritiert mich, dass dich das irritiert. Bisher hast du die interessantesten Meinungen, die mir je untergekommen sind."

„Möchten Sie mich adoptieren?"

Dr. Fuchs bekam einen Lachanfall, bei dem er rot anlief und seine Augen an seinem löchrigen Pulliärmel abwischen musste.

„Das hat mir noch niemand meiner Patienten vorgeschlagen. Ich mache bei dir irgendetwas falsch."

„Oder ausnahmsweise mal richtig."

Er schüttelte immer noch lachend den Kopf.

„Es fällt mir langsam nicht mehr schwer, zu verstehen, wie du es geschafft hast, bereits am ersten Tag so viele Leute zu verärgern."

„So viele? Warum so viele? Herr Lustig war etwas pikiert, das war offenkundig. Aber mit sehr viel Menschen habe ich bisher nicht kommuniziert."

Es stellte sich jedoch heraus, dass es bei jedem einzelnen, mit dem ich kommuniziert hatte, zu Verärgerungen oder Verärgerungen mit dem verantwortlichen Therapeuten geführt hatte. Wie bei der pinken Pia und dem fettesten aller fetten Jungen.

Der hatte chipsessend in seiner Therapiegruppe ver-
kündet, dass er absolut keinen Bock mehr hätte, abzuneh-
men, weil ihm sonst die Groupies in Japan davonlaufen
würden.

Und Pia hatte in ihrer Gruppe den festen Entschluss
mitgeteilt, nie wieder auch nur das kleinste Bisschen an
Nahrung zu sich zu nehmen, weil der menschliche Verdau-
ungsprozess das Abscheulichste sei, was sie jemals vernom-
men hätte.

Beide nannten mich als Quelle für ihre Informationen.

Dann gab es noch die junge in Wolle gewickelte Dame,
der ich mitsamt Pia die Tür vor der Nase geschlossen hatte,
eine Essstörungsmentorin oder so was. Dann die Empfangsdame, die es nicht mochte, dass ich Zigarettenstum-
mel in Blumentöpfen entsorgte, ein Irrtum, der ihrer unter-
durchschnittlichen Beobachtungsgabe zu verdanken war.
Dann die Diätassistentin, die ich anscheinend zum Heulen
gebracht hatte, als ich meinen vollen Teller persönlich in
der Küche vorbeigebracht hatte, um sie darauf hinzuweisen, dass ihr Bananen-Dessert alles andere als vegan sei,
wenn sie Honig verwendete.

Na ja, ich hatte ihr zusätzlich einen Vortrag über die
Ausbeutung von Bienen gehalten, obwohl mir die Bienen
allesamt am Arsch vorbeigingen. Aber wer „vegan" als
Werbung für seine Dessert Kreationen verwendete, der
sollte konsequent dahinterstehen.

Und Herr Lustig war natürlich am allerverärgertsten
von allen. Das war tatsächlich selbst für mich ein ordentli-
cher Schnitt für einen Tag. Andererseits hatte ich seit meiner Heimreise aus Norwegen auch kaum mit jemandem anders als meiner Familie oder verrückten Randgruppen kommuniziert.

Dr. Fuchs bat mich darum, ihm noch einmal persönlich

zu erklären, warum ich Herrn Lustig als Therapeuten ablehnte.

Dem kam ich gern nach.

Daraufhin erlitt Dr. Fuchs einen erneuten Lachanfall, den er vergeblich als Husten zu tarnen versuchte.

„Wenn du das wortwörtlich so Herrn Lustig dargelegt hast...", krächzte er schließlich.

Ich nickte. Das hatte ich.

„Dann denke ich, macht es wirklich keinen Sinn, wenn ihr es weiter miteinander versucht. Du hast mich überzeugt. Ich übernehme dich."

Ich fühlte, wie mein Gesicht in einem Lächeln so riesig wie der Vollmond am Horizont von Afrika erstrahlte. Ich malte mit dem rechten Fußzeh fünf Mal ganz schnell ein winziges Gesicht und zählte drei Mal auf zehn, einmal in Blau, einmal in Türkis und einmal in Grün.

„Und ich hoffe, du weißt, dass du keine narzisstische Borderlinerin bist, falls es so was überhaupt gibt."

Ich antwortete nicht, weil ich immer noch damit beschäftigt war, mich zu freuen und winzige Gesichter mit dem rechten Fußzeh zu malen.

„Es ist sogar so, dass ich einen ganz anderen, konkreten Verdacht habe, was dich betrifft, Lily."

Ich hörte sofort mit dem Freuen und Malen auf. Das klang irgendwie doof.

Dr. Fuchs bemerkte meine Gefühlsschwankung sofort.

„Keine Sorge, das ist nichts Negatives. Im Gegenteil. Falls sich mein Verdacht bestätigt... dann könnte das ein Wendepunkt in deinem Leben sein. Ein positiver."

Diesmal war er ganz ungewohnt ernst. Seine Eindringlichkeit schüchterte mich ziemlich ein.

„Ich möchte dir nur für nächste Woche einige Tests mitgeben. Die sind extrem ausführlich und mindestens hundert Seiten lang, und es wäre wichtig, dass du sie ganz aufrichtig ausfüllst."

Er bemerkte auch dieses Mal, wie sich sofort wieder alles in mir verkrampfte.

„Keine Sorge", wiederholte er, sehr sanft. „Ich weiß, dass du als Kind keinen Spaß mit solchen Tests hattest. Und ich weiß auch, dass du sie mit Sicherheit nicht besonders aufmerksam beantwortet hast."

„Weil sie dämlich waren", platzte es aus mir heraus. „Weil sie voller dummer Fragen waren, oder Fragen, die absolut uneindeutig gestellt waren, oder Aufgaben darin vorkamen, die mein Cousin mit Down-Syndrom blind geschafft hätte, und andere Aufgaben, die mir schon die Antwort suggerierten, die ich zu geben hätte!"

„So etwas dachte ich mir bereits. Also warst du etwas kreativ mit der Umsetzung?"

„Ja. Als ich jedem Buchstaben aus dem Alphabet ein Tier zuordnen sollte, musste ich einen kleinen Code entwickeln, um mich nicht zu langweilen. Die Prüfer haben ihn nicht mal geknackt."

Ich dachte nach.

„Und als sie wissen wollten, wie lange ein LKW mit einer Ladung aus Hühnereiern braucht, um bei einer Geschwindigkeit von 80km von Nürnberg nach Paris zu kommen, wenn er zwei Pausen von jeweils 1,5 Stunden einlegt... da reichte der Platz nicht für meine Antwort. Schließlich fand ich es wichtiger, den idiotischen Testentwicklern mitzuteilen, dass dies eine völlig unrealistische Ladung für diese Strecke, eine völlig unrealistische Pauseneinteilung und eine absolut uninteressante Aufgabenstellung allgemein sei."

Ich merkte, wie ich mich ein wenig in Rage redete. Es gab tausende derartiger Testungen, die mich so was von angekotzt hatten, und bisher hatten sich alle nur für die Version der Tester interessiert, nicht für meine.

Ich verstummte erschrocken. Ich malte mit dem rechten Fußzeh fünf Mal ganz schnell ein winziges Gesicht und zählte drei Mal auf zehn, einmal in Blau, einmal in Türkis und einmal in Grün.

„So etwas dachte ich mir." Dr. Fuchs sah irgendwie ganz zufrieden aus.

„Also, Lily, pass auf, folgender Vorschlag: Dieses Mal beantwortest du alle Fragen genau so, wie sie gemeint sind. Sehr viele davon werden dir wieder sehr dämlich vorkommen. Bitte beantworte sie dennoch. Viele davon sind auch wieder mit Sicherheit nicht eindeutig gestellt oder bieten Spielraum für Interpretationen. In diesen Fällen kannst du dich jederzeit an mich wenden, um nachzufragen, wie es gemeint ist. Und ich meine jederzeit; klopfe einfach hier an der Tür. Egal wie kurz die Frage ist. Das wäre mein spezieller Deal für dich. Normalerweise müsstest du jeden Test unter Aufsicht innerhalb von zwei Stunden ausfüllen. Aber ich glaube, das würde das Ergebnis in deinem Fall eher verfälschen. Also: Du bekommst alle Tests mit auf dein Zimmer. Du hast eine Woche Zeit. Und du machst es ausnahmsweise mal nicht auf Lily - Art."

Ich hatte nicht im Speziellen Lust auf so was. Aber ich mochte Dr. Fuchs. Er versuchte wirklich, mir zu helfen, das spürte ich. Und nicht, um sein eigenes Ego zu streicheln, oder weil er Geld dafür bekam.

Ich malte mit dem rechten Fußzeh fünf Mal ganz schnell ein winziges Gesicht und zählte drei Mal auf zehn, einmal in Blau, einmal in Türkis und einmal in Grün.

Dann hielt ich ihm meine Hand hin. Ich glaube, das war die intimste Geste, die ich jemals einem anderen Menschen angeboten hatte, meine Aufforderung zu Sex bei Finn mal abgezogen.

„Deal", sagte ich.

Dr. Fuchs ergriff so vorsichtig meine Finger, als spürte er genau, wie sehr ich Berührungen im Allgemeinen hasste.

„Deal.", sagte er.

BrokenAngel: Ja, ich bin mir sicher, dass ich sterben will.

NaturalBornKiller: Jedoch wirst Du nicht simpel sterben.

BrokenAngel: Ich weiß.

NaturalBornKiller: Dein Körper wird mein Spielplatz sein, und meine Spielzeuge werden ihn zerstören.

BrokenAngel: Ich weiß.

NaturalBornKiller: Es wird länger als die Unendlichkeit dauern und deine Qualen werden unermesslich sein.

BrokenAngel: Ich hoffe immer noch, dass das nicht alles nur leere Versprechungen sind.

NaturalBornKiller: Deine Einstellung gefällt mir. Beinahe reut es mich, dich dem Tod zu schenken.

BrokenAngel: Wirst du unsere Konversation etwa vermissen?

NaturalBornKiller: In der Tat.

Fünfzehn

Es war die irgendwie absurdeste Woche meines Lebens. Und es sollte die letzte Woche meines Lebens werden. Ja, richtig, wir sind beinahe im Hier und Jetzt angelangt. Hier, wo ich am Bahnsteig herumstehe, mit meiner blöden weißen Lilie in der Hand, und auf meinen Tod warte.

Mir ist kalt, obwohl die Sonne scheint. Die Menschen fließen wie bunte Schatten um mich herum. Ich sehe ihre Gesichter und vergesse sie gleich wieder.

Züge rattern heran und wieder fort, Lautsprecher dröhnen, eine Drehorgel spielt verzerrt und irgendwie kläglich in der Ferne „My Way".

Ausnahmsweise habe ich mich nicht mit meinen Kopfhörern vor der Außenwelt verbarrikadiert. Ein letztes Mal möchte ich den Lärm der Menschenwelt ganz bewusst wahrnehmen. Ich werde sie nicht vermissen.

Ihr werdet mich nicht vermissen.

Ich hab euch ganz schön zugetextet.

Und ich hab euch wahrscheinlich auch nicht gerade nett behandelt, das ein oder andere Mal. Aber ihr kennt mich ja inzwischen gut genug, um zu wissen, dass ich „nett" nur manchmal als Verkleidung trage. Als mein Engelskostüm.

Lasst uns noch zusammen diese letzte Woche erleben. Die Woche, in der ich eine Menge Tests möglichst akkurat ausfüllte und eine weitere Menge Leute gründlich verärgerte.

Es war die beste aller Wochen. Eine Woche, in der die Tage tanzten und die Stunden Freudenchöre sangen. Denn meine alte Feindin Hoffnung flößte mir Drogen ein, die mich beinahe euphorisch machten.

Und ich war in Dr. Fuchs verliebt. Auf eine so was von ganz andere Art als damals in Finn. Er war einfach der einzige Mensch, den ich kannte, der sich freute, mich zu sehen. Irgendwie reichte das aus, und ich hätte ihm mit Begeisterung mein Leben anvertraut.

Deswegen verbrachte ich meine Tage damit, stundenlang fröhlich Testfrage um Testfrage durchzugehen, aus sämtlichen Therapiegruppen herauszufliegen und fragwürdige Konversation im Raucherpavillon zu betreiben, was stetig mehr Leute verärgerte.

Alles davon war vergnüglich. Weil ich die Tests, gemäß unserem Deal, ausnahmsweise absolut ernst nahm, und die Therapiegruppen dafür so überhaupt nicht.

Dr. Fuchs bereute es bestimmt bereits 2 Stunden nach unserem letzten Treffen, ein Abkommen mit mir getroffen zu haben, das es mir erlaubte, ihn bei jeder noch so kleinen Unsicherheit zu kontaktieren. Aber er zeigte es nicht, sondern nahm unseren Deal ebenso ernst wie ich.

Dabei missbrauchte ich sein Angebot nicht bewusst, sonst wäre ich mir schäbig vorgekommen.

Aber diese verfluchten Tests zeichneten sich nun einmal generell durch eine Fragestellung aus, die ständig Fragen aufwarf.

Wenn die von mir wissen wollten, ob ich den Augenkontakt zu Menschen scheute; tja, dann fehlten mir dabei essenzielle Informationen.

1. Zu welchen Menschen? Fremde oder Vertraute? Kinder oder Erwachsene?

2. Wie war das Verb „Scheuen" zu verstehen? Im Normalfall wurde es gebraucht, um einen Zustand des Meidens, verursacht durch Angst, zu beschreiben. Wenn ich nun aber tatsächlich generell, ungeachtet der Personengruppe, wenig Wert auf Augenkontakt legte, aber nicht aus Angst,

sondern weil es mich maximal abtörnte. Musste ich dann die Frage verneinen oder bejahen?

3. Wenn ich zusätzlich sogar auf einer Skala von Eins bis Zehn angeben sollte, wie sehr ich den Augenkontakt zu Menschen scheute... also bitte.

Dr. Fuchs erläuterte es so, dass ich bei solchen Fragen versuchen sollte, mir vorzustellen wie es ein simpel gestrickter Mensch ohne jede Fantasie gemeint haben könnte. Das half tatsächlich.

Ich nahm die Testbögen mit in den Raucherpavillon. Dort saßen bereits der zukünftige Sumoringer und ein kleiner, schmächtiger Junge um die 14 Jahre, der sehr blass, sehr schwarz angezogen und sehr müde aussah. Das konnte passen.

„Hallo", sagte ich zu ihm. „Du wirkst so, als wärst du aufgrund von Depressionen hier. Stimmt das?"

Er blickte mich leicht verstört an. Schon wieder diese Augen. Es wurde einem ja ganz schwindelig von all diesen verzweifelten Augen. Na ja, die seinen waren eher hoffnungslos als verzweifelt. Ebenfalls ein Indiz für Depressionen.

„Ja, stimmt", sagte er beinahe lautlos.

„Sehr gut", sagte ich zufrieden. „Dann bist du momentan aufgrund deiner Erkrankung sehr simpel gestrickt und hast überhaupt keine Fantasie. Würdest du mir bitte bei meinen Testfragen helfen?"

Er blickte verstörter als zuvor.

„Keine Sorge, es ist nicht besonders schwierig." Ich zündete mir eine Zigarette an und fing an die Testfragen mit ihm durchzugehen.

Das war sogar noch hilfreicher als gedacht.

Der kleine Depressive wählte stets aus lauter Energie-
losigkeit die einfachste aller Möglichkeiten, wenn es irgendwas zu interpretieren gab.

„Perfekt", freute ich mich und versorgte ihn mit Kip-
pen, damit er bei Laune blieb.

Wir brauchten auf die Art drei Stunden für den ganzen
restlichen ersten Test, rauchten eine ganze Schachtel leer,
und hatten, glaubte ich zumindest, beide Spaß dabei.

Schließlich war sein Gesicht gegen Ende gar nicht mehr
so blass, und seine Antworten kamen immer dynamischer.
Ich lobte ihn ja auch ständig, weil ich gelernt hatte, dass
Menschen dadurch kooperativer wurden. Interessanter-
weise wirkte das auch bei Depressiven. Ich sollte Dr. Fuchs
unbedingt von meiner Erkenntnis erzählen.

Kurz nachdem wir fertig geworden waren, wurde der
Pavillon von einer ziemlich aufgelösten Therapeutin ge-
stürmt.

„Frederick, da bist du ja, zum Glück, wir haben uns alle
schon so wahnsinnig Sorgen gemacht!"

Ihre Stimme überschlug sich fast. Sie warf sich mit einer Wolke aus synthetischem Parfum und Stress - Schweiß
auf den armen Kleinen.

Es juckte mich in den Fingern, sie mit einem gezielten
Schleuderwurf von ihrem Opfer zu entfernen. Aber das
wäre wieder einmal nicht legitime Gewaltanwendung, so
viel war mir inzwischen klar. Außerdem war ich außer
Übung, weil ich die letzten zwei Jahre meinen Schwerpunkt
nicht auf Sport, sondern auf destruktives Verhalten gelegt
hatte. Das war nicht frei von jedem Amüsement gewesen,
hatte aber seinen Preis gekostet.

„Würden Sie mir bitte verraten, wie viel Sie wiegen?",
fragte ich die panische Dame.

Erst als Sie mich mit einem Blick bedachte, der weniger

Verzweiflung als pure Wut enthielt, erinnerte ich mich wieder daran, dass sie gerade wohl eher nicht in der Stimmung war, sich mit mir über Gewichtsklassen zu unterhalten, und darüber, wie hoch die Wahrscheinlichkeit war, dass ich sie auf Anhieb zu Boden bringen würde.

„Ist dir eigentlich klar, dass Frederick akut selbstmordgefährdet ist? Hier in dieser Klinik sind Jugendliche mit echten Problemen!", fuhr sie mich ziemlich barsch an.

„Ist Ihnen klar, dass ihre Äußerung mir gegenüber ganz weit weg von gewaltfreier Kommunikation ist, also so richtig ganz weit weg?", empörte ich mich zurück. Ordentliche gewaltfreie Kommunikation war ja wohl das Mindeste, was man von Therapeuten erwarten durfte.

Wenn mich nicht alles täuschte, hörte ich ein winziges Kichern von Frederick.

„Und ich kann Ihnen nur zustimmen! Die Jugendlichen hier haben echte Probleme, und zwar in Form von Therapeuten wie Ihnen, die sich aufführen wie eine wildgewordene Gouvernante!"

Ja, eindeutig: ein gar nicht mehr so ganz winziges Kichern von Frederick.

Das nahm ich zum Anlass, die wildgewordene Gouvernante darauf hinzuweisen, dass ihr Schützling momentan alles andere als selbstmordgefährdet wirkte.

Sie konnte schlecht widersprechen.

Das machte sie nur noch wütender.

„Lass uns das jetzt in Ruhe in einer Einzelsitzung besprechen, Frederick!" Sie zwang sich selbst zu Ruhe und Freundlichkeit und dazu, mich einfach zu ignorieren.

So leicht ließ ich sie nicht davonkommen.

„Ich bin gerne bereit, an der Sitzung teilzunehmen!", schlug ich fröhlich vor.

Die Gouvernante versuchte wieder, mich mit einem

Blick zu töten, ohne dass sie ihr unechtes Lächeln dabei fallenließ.

„Frederick und ich haben Gesprächsbedarf nur zu zweit."

Da meldete sich der kleine Depressive unaufgefordert zu Wort, was uns beide verblüfft herumfahren ließ.

„Ich fände es gut, wenn Lily dabei ist", sagte er, immer noch sehr leise, aber sehr entschieden.

Ich hätte ihn am liebsten für seinen Mut umarmt und im Kreis herumgewirbelt.

„Frederick, du bist ein supercooler Knabe!", lobte ich ihn. Loben hatte anscheinend wirklich Erstaunliches bei ihm bewirkt, also beschloss ich, das weiterhin inflationär einzusetzen. Es wirkte. Er lächelte, ein minimales Lächeln, aber immerhin. Es war echt und machte ihn hübsch.

Dann wandte ich mich an seine Therapeutin.

„Frederick hat mich, seine Mitpatientin, mit vollem Engagement unterstützt. Ohne ihn hätte ich diesen verfickten Test niemals geschafft."

Frederick kicherte leise. Was war er doch für eine Frohnatur.

„Wenn wir dabei die Zeit vergessen haben und Ihnen dadurch Sorgen bereitet haben, entschuldige ich mich dafür. Allerdings gibt es nichts, was Ihren höchst unprofessionellen Auftritt von gerade eben entschuldigen würde. Sie haben, ohne mich zu kennen, meine Probleme als nicht echt verurteilt und mir jede Daseinsberechtigung in dieser Klinik abgesprochen. Und das auch noch auf eine indirekte Art und Weise, die auf eine ausgeprägte passive Aggressivität schließen lässt, was Sie als Therapeutin ziemlich unerfreulich machen dürfte. Außerdem ist Ihr Parfum extrem penetrant; nur weil Depressive meist über einen verminderten Geruchssinn verfügen, bedeutet das nicht, dass sie gar keinen besitzen.“

Na ja, und damit hatte ich offiziell eine weitere Person verärgert, wie mir Dr. Fuchs später mitteilen würde. Allerdings warf er es mir nie vor, im Gegenteil, er schien immer leicht amüsiert.

Es kümmerte ihn nicht mal besonders, dass ich mit keiner meiner drei Gruppentherapien harmonierte.

Zuerst wollten sie mich nicht mehr in „Soziale Kompetenz“ dabeihaben.

Ich war mir nicht sicher, woran es lag: Nahmen sie an, ich hätte keinen Bedarf daran, weil ich bereits an mehr als ausreichend sozialer Kompetenz verfügte. Oder dachten sie, bei mir wäre jede Mühe vergebens.

Nein, ihr braucht jetzt gar nicht zu lachen. Mir ist schon klar, dass alles, was ihr bisher über mich erfahren habt, nicht gerade auf sonderlich tolle soziale Fähigkeiten hinweist. Aber wenn ich wollte, konnte ich das wenigstens brillant vortäuschen. Über kurze Zeit hinweg. Wie zum Beispiel 1,5 Stunden lang in einer Gruppe.

In einer Gruppe voller Teenies, die unter sozialer Phobie litten. Also, womit mehr oder weniger extreme Schüchternheit gemeint war. Angst vor Bewertung durch andere. Ein nicht vorhandenes Selbstwertgefühl. Und so.

Findet ihr mich echt in der Kategorie wieder? Eben.

Dementsprechend irritierend waren die Rollenspiele für mich.

Das erste bestand darin, dass sich jeweils immer zwei von uns in der Mitte des obligatorischen Stuhlkreises gegenüberstehen sollten, uns fest in die Augen sehen und eine Meinung vertreten. Weil alle so extrem schüchtern und so mies darin waren, ihre Meinung zu vertreten, bestand diese bei dem einen aus einem simplen „Ja“. Und bei dem anderen aus einem „Nein.“

Echt. Das war alles. Immer abwechselnd sollte einer „Ja" sagen und der andere „Nein".

Als die Therapeutin uns dieses Spiel erklärte, musste ich laut lachen, weil ich dachte, sie mache einen Scherz.

Tat sie nicht.

Mir wurde Hannes zugeteilt. Hannes war eine Art Frederick, nur noch kleiner und armseliger. Er war rundlich und rosa wie ein niedliches Ferkel, aber eines, das darum bettelte, geschlachtet zu werden. Kein Scheiß, ich war mir sicher, dass auch genau das an seiner Schule geschehen war. Also, dass die anderen ihn gemobbt hatten, bis er psychisch zerbrochen war.

Und ausgerechnet der sollte mein Gegner sein.

Wir standen also in der Mitte des Stuhlkreises. Zwölf Augenpaare starten uns an. Das hasste ich schon mal extrem, weil ich nicht im Gegenzug alle zwölf im Auge behalten konnte, wie es mein dringendes Bedürfnis war. Also bekam ich miese Laune.

Und dann krümmte sich da dieses kleine Ferkelchen vor mir, und ich sollte ihn mit einem „Nein" niedermachen. Denn, so die Therapeutin, wir sollten mit aller Entschiedenheit unser Statement vertreten, mit aller Entschlossenheit, zu der wir fähig waren.

Die drei Paare vor uns hatten sich mehr oder weniger tonlos ein paar Mal ihr Wort verlegen lächelnd entgegengehaucht, bevor sie das Spiel abgebrochen hatten. Dafür waren sie auch noch gelobt worden. Loben war ja schön und gut, wenn es angemessen war. Aber für eine derartige miese Performance?

„Ich will einen würdigeren Gegner!", sagte ich und zeigte auf Hannes. „Der hier entspricht nicht meinem Niveau."

„Ihr seid keine Gegner, ihr seid Partner.", berichtigte

die Therapeutin.

„Wie jetzt, ich dachte, ich soll ihn fertigmachen?"

„Nein, Lily, das hast du falsch verstanden. Ihr seid Partner, nicht Gegner."

„Das verstehe ich nicht."

„Das macht nichts. Vertrete einfach dein „Nein", und Hannes wird sein „Ja" vertreten."

Ich wandte mich Hannes zu. Der war irgendwie in der letzten Minute ziemlich blass geworden.

„Also los, du kleines, wertloses Stück Scheiße, dann fangen wir an!"

Er fing an, ohne Vorwarnung zu heulen.

„Lily!", rief die Therapeutin entsetzt.

„Was?", schrie ich zurück. „Das ist psychologische Kriegsführung!"

„Ihr seid aber doch keine Gegner! Sieh nur, wie sehr du Hannes verletzt hast!"

„Aber das ist doch genau das, was er jeden Tag zu hören bekommt!", schrie ich. Ich hatte echt richtig miese Laune. Ich verstand den Sinn dieser Gruppe nicht.

„Wie soll er denn lernen, sich zu wehren, wenn ich ihm ein höfliches Nein entgegenhauche! Oder, Hannes, so was wie wertloses Stück Scheiße sagen die Leute in deiner Schule ständig zu dir?"

Hannes stand weiterhin in der Mitte des Stuhlkreises herum und flennte.

„Ja.", schluchzte er. „Und viel schlimmere Sachen."

„Eben!", schrie ich. „Wenn ihr dem armen kleinen Ferkel hier helfen wollt, dann bringt ihm ein paar echt üble Schimpfwörter bei, steckt ihn ins Fitnessstudio, damit er einen Bizeps bekommt und erlaubt ihm ein paar Tätowierungen."

„Ich wollte schon immer Tätowierungen, aber meine

Eltern verbieten es", schluchzte Hannes.

„Das macht nichts, ich kennen einen Tätowierer, der macht so Dinge illegal. Wenn du willst, nehme ich dich zu dem mit!"

Ich schrie immer noch, aus lauter Gewohnheit.

„Lily, hör sofort auf damit!", schrie die Therapeutin.

„Halte deine blöde Fresse, du dumme Schlampe oder ich schiebe dir deinen beschissenen Redestein in deinen schlaffen Arsch!", schrie ich.

Die Therapeutin war still. Alle waren still. Es war so still wie an Heiligabend auf der Straße.

Ich seufzte.

„Ich hoffe, Sie nehmen das nicht persönlich.", sagte ich und senkte meine Stimme. „Dies war nur eine Demonstration davon, wie man sich auf dem Schulhof durchsetzt. Hast du gut aufgepasst, Hannes?"

Hannes nickte eifrig mit offenem Mund. Vielleicht hatte er echt was gelernt.

Ich konnte seine Fortschritte leider nicht weiter mitverfolgen, weil dies meine letzte Stunde in „Soziale Kompetenz" war.

Das störte mich auch nicht weiter.

So hatte ich mehr Zeit für meine Tests. Und für NaturalBornKiller.

Wenn ich abends mit ihm chattete, war das so, als würde ich nach Hause telefonieren. Etwas, was die anderen ständig machten. Alle hatten immer Heimweh, egal, welchen Zoff sie vorher mit ihren Eltern gehabt hatten.

Ich kannte das Gefühl von Heimweh. Ich kannte es gut. Aber wenn es mich schüttelte, dann war es immer die Sehnsucht nach einem unbestimmten Ort, an dem ich noch niemals gewesen war.

Manchmal war es so stark und unvermittelt und heftig,

dass ich mich unter Tränen auf dem Boden krümmte, damals, als ich noch weinen konnte.

NaturalBornKiller erinnerte mich an dieses Gefühl und linderte es gleichzeitig.

So verstrichen diese letzten Tage zwischen süßer heimischer Dunkelheit und frischer Hoffnung. NaturalBornKiller vs. Dr. Fuchs. Ich hatte noch keine Ahnung, dass dies der Countdown zu meinem Tod war. Oder doch, eine Ahnung vielleicht schon; ich wusste ja, was NaturalBornKiller von mir wollte.

Aber bis zu jenem Freitag war ich noch nicht bereit, es ihm zu geben.

Jener Freitag, an dem Dr. Fuchs bereit war, mir seinen Verdacht mitzuteilen und als erwiesen zu bestätigen.

Ich hatte mich für diesen Termin extra hübsch gemacht. Also das, was ich momentan darunter verstand. Extra Gel in die Haare für extra Stacheln. Extra schwarzen Lippenstift und sogar ein Kleid. Und Springerstiefel. Natürlich.

Dr. Fuchs fiel das sogar auf.

„Du siehst heute recht beängstigend aus, Lily!", sagte er zur Begrüßung.

„Danke", sagte ich.

„Würdest du dich bitte setzen."

Ich setzte mich.

„Du hast tatsächlich alle Tests korrekt ausgefüllt. Ich bin begeistert.", fuhr er fort. „Das war ungemein hilfreich. Was du nicht weißt ... auch deine Eltern haben entsprechende Tests bekommen und beantwortet. Dazu kommt jetzt noch mein persönlicher Eindruck von dir. Und ich habe alle Leute in der Klinik befragt, die Kontakt zu dir hatten."

Okay, er wollte mir verdeutlichen, dass er wirklich sehr,

sehr gründlich gearbeitet hatte. Das beunruhigte mich etwas. Weil das darauf hinwies, dass er schlechte Nachrichten für mich hatte.

„Haben Sie schlechte Nachrichten für mich?", fragte ich.

„Nun ja... erst mal habe ich ziemlich gute Nachrichten für dich. Wir haben unter anderem auch deine Intelligenz getestet. Und ich war jetzt nicht wirklich überrascht, dass du, nun, man kann es ruhig so formulieren, ganz ungewöhnlich klug bist."

Er suchte in meinem Gesicht nach einer freudigen Reaktion. Als er keine bekam, fuhr er fort.

„Vielleicht überrascht es dich ja... aber es besteht kein Zweifel. Wenn etwas relativ sicher ist, dann das Ergebnis eines IQ-Tests als Mindestintelligenz. Das bedeutet: Du kannst einen schlechten Tag erwischt haben oder, nur so zum Beispiel, die Testfragen nicht nach Vorgabe ausfüllen, und dadurch ein viel zu niedriges Ergebnis erzielen. Aber du kannst nicht höher getestet werden, als es deine kognitiven Fähigkeiten tatsächlich sind."

Ja, kapierte ich. Und?

„Wenn du also in allen Bereichen Höchstwerte erzielt hast und in einzelnen Kategorien sogar die Kapazität des Tests gesprengt hast – dann können wir davon ausgehen, dass du mit einem IQ von mindestens 130 zu den 1-2 Prozent der Menschheit mit einer Hochbegabung gehörst." Er strahlte mich an, als hätte er mir einen Preis verliehen.

Ich war aufs Bitterste enttäuscht.

„Und was daran soll gut sein?", fragte ich.

Wahrscheinlich war jetzt Dr. Fuchs enttäuscht, weil ich seine frohe Botschaft nicht mit glücklicher Dankbarkeit entgegennahm, aber er zeigte es nicht. Nur milde Verwunderung.

„Nun", meinte er, „normalerweise freut sich jeder, wenn ich ihm so etwas mitteile. Und ich habe nicht das Vergnügen, so etwas ständig jemandem mitzuteilen."

„Ich wiederhole meine Frage anders formuliert: Worüber soll ich mich genau freuen?"

Sonst war Dr. Fuchs doch nicht so schwer von Begriff.

„Intelligenz ist eine allgemein äußerst positiv bewertete Fähigkeit.", erklärte er und klang dabei immer noch leicht ratlos.

Also musste ich wohl ihm die Sachlage erklären.

Ich malte mit dem rechten Fußzeh fünf Mal ganz schnell ein winziges Gesicht und zählte drei Mal auf zehn, einmal in Blau, einmal in Türkis und einmal in Grün.

„Ich gehe mit Ihnen konform, dass die Menschen allgemein sackdumm sind. Aber daraus ergibt sich nicht, dass ich intelligent bin.", sagte ich langsam, damit er mir folgen konnte. Denn es schien ja nicht wirklich sein Tag zu sein.

Er blickte mich auch einfach fragend an.

„Intelligenz wird definiert als die kognitive Fähigkeit, die es dem Mitglied einer Spezies ermöglicht, in seinem biologischen und sozialen Umfeld gut zu funktionieren. Mache ich etwa den Eindruck auf Sie, als würde ich innerhalb der menschlichen Gemeinschaft gut funktionieren?"

Ich stoppte ihn mit erhobenem Zeigefinger an einer Antwort. Ich war noch nicht fertig. Nonverbale Gestik war genau so schwierig wie die richtige Mimik, aber, bewusst eingesetzt, ziemlich effektiv.

„Jede Maus, die lange genug überlebt, um etwa drei Würfe Junge zur Welt zu bringen, ist intelligenter als ich, weil sie perfekt ihren Daseinszweck erfüllt."

Abermals mein Zeigefinger, weil er bereit den Mund zur Antwort geöffnet hatte.

„Wenn Sie dem entgegenhalten möchten, dass diese ganze Klinik voll ist mit Jugendlichen, die nicht richtig funktionieren: Ich bin anders als die. Ich gehöre auch nicht hierher. All die anderen hier, die ich kennengelernt habe, sind auf irgendeine Art verletzt oder gar traumatisiert worden. Das hat sie auf eine Weise kaputtgemacht, die meistens irgendwie irgendwann wieder repariert werden kann. Ich hatte eine ganz heile Familie und eine ganz harmonische Kindheit; wenn mir schlimme Dinge passiert sind, dann war ich stets selbst daran schuld. Ich bin als Fehlkonstruktion auf die Welt gekommen. Ich kann nicht repariert werden. Ich kann logisch denken, ja. Aber wenn es das ist, was ihr verfickter IQ Test messen kann, dann sollten sie ihn auf den Müll schmeißen."

„Nun, ja, logisches Denken, das ist es tatsächlich mehr oder minder was IQ Tests messen", äußerte sich Dr. Fuchs so vorsichtig, als befürchtete er, dass ich ihn sofort wieder unterbrechen würde. Aber ich hatte meine kleine Rede beendet und erlaubte ihm eine Gegendarstellung.

„Und tatsächlich hast du gerade wieder eine überdurchschnittliche Denkleistung unter Beweis gestellt", fuhr er, nicht unzufrieden fort. „Denn du hast mit allem recht, Lilly. Du bist nicht wie die anderen hier."

„Aber ich bin nicht psychopathisch, falls Sie darauf hinauswollen!", stellte ich gleich mal klar. „Das weiß ich, weil ich selbst dahingehend einen Verdacht hatte und durch eingehende Studien beseitigt habe."

Und weil ich in regen Kontakt mit einem echten Psychopathen stand, dessen dringlichster Wunsch es war, mich zu töten. Aber das verschwieg ich wohlweislich.

„Nein, du bist keine Psychopathin", stimmte mir Dr. Fuchs zu. „Du bist auch keine Borderlinerin."

„Danke" Ich war wirklich in ihn verliebt. Er war

kompetent. „Aber jetzt kommen die richtig miesen Nachrichten, oder?"

Er lachte. „Würde ich so nicht sagen. Jetzt kommt vielleicht etwas Unerwartetes."

„Bitte, versuchen Sie, mich zu überraschen."

„Es gibt da etwas, was sich Autismus nennt, Lily", begann er. „Das ist ein höchst interessantes, noch relativ unerforschtes Phänomen."

„Autismus?" Ich sah kreischende Geschöpfe vor mir, die ihren Kopf gegen die Wand schlugen und einem die ersten 500 Nachkommastellen von Pi aufsagen konnten. Also, falls sie mal aufhörten zu kreischen.

Ich sah nicht im Geringsten, was das mit mir zu tun haben sollte.

Aber dann folgten ganze zwei Stunden, die Dr. Fuchs intensiv nutzte, um mir klarzumachen, was das alles genau mit mir im Speziellen zu tun hatte.

NaturalBornKiller: Kehre heim, mein Vögelchen, komm in meine Arme. Ich erwarte dich voller Sehnsucht. Und mit einer Kottensäge.

BrokenAngel: Ich bin noch nicht ganz bereit. Aber bald. Und das mit der Kettensäge hatten wir doch bereits geklärt.

Sechzehn

Nein, ich war wahrlich nicht leicht beeindruckbar. Ich hatte, seit ich mich erinnern konnte, und bestimmt schon davor, viel zu viel Zeit damit verbracht, mir die gesamte Welt rational zu erklären, als dass sie mich sonderlich zu verblüffen vermochte.

Deswegen war ich allerdings rationalen Argumenten zugänglich.

Und die hatte Dr. Fuchs zu genüge. Und ich war beeindruckt. Also so dermaßen, dass ich die gesamten zwei Stunden kein einziges Wort sagte. Aber alles andere als positiv beeindruckt.

Ich malte mit dem rechten Fußzeh fünf Mal ganz schnell ein winziges Gesicht und zählte drei Mal auf zehn, einmal in Blau, einmal in Türkis und einmal in Grün.

Ständig.

Und zum ersten Mal wurde mir bewusst, dass dies unter den Begriff von „repetitiven Verhaltensmustern" fiel.

Ich versuchte, damit aufzuhören. Es funktionierte nicht.

Dr. Fuchs stellte mir hin und wieder eine Frage. Glaube ich.

Aber er respektierte es, dass ich mich in einer Art Schockstarre befand und beharrte nicht auf Antworten.

Glaube ich.

Ich war vor allem intensiv damit beschäftigt, neue Informationen zu verarbeiten und damit waren die Arbeitsspeicher meines Hirns ausgelastet. Wahrscheinlich waren dadurch alle anderen unwichtigen Funktionen, wie Mimik oder eben Sprache vorübergehend ausgeschaltet, und ich saß da, mit debil offenem Mund und sabberte. Aber erstens war mir das scheißegal, und zweitens war das anscheinend nicht untypisch für solche wie mich.

Es gab solche wie mich. Es gab eine Klassifizierung. In die ich passte. Unleugbar.

Weil ich vor lauter Nachdenken sprachlos blieb, beendete Dr. Fuchs irgendwann unser Treffen, indem er mir einen Stapel Bücher und Ausdrucke von Fachartikeln in die Hand drückte.

Ich hätte mich gerne wenigstens dafür bei ihm bedankt. Weil er dadurch sein Verständnis für meinen Informationshunger demonstrierte.

Aber ich verzog mich damit nur stillschweigend in den Raucherpavillon. Und als ich die gesamte Lektüre durchhatte, also zwei Tage später, in denen ich etwa zwei Stunden geschlafen, 200 Zigaretten geraucht und so ungefähr überhaupt nichts gegessen hatte, als ich alle Informationen aufgesaugt und verarbeitet hatte, ohne dass mich irgendwer vom Klinik-Personal störte - danke, tausendmal danke, Dr. Fuchs - da holte ich mein Smartphone unter dem Stapel von Papier hervor und schrieb folgende Worte:

„Liebster, ich bin bereit.“

Es war das erste und letzte Mal, dass ich jemanden meinen Liebsten nannte. In dem Moment wurden mir zwei Dinge bewusst: Ich konnte tatsächlich lieben. Und ich war in den Tod selbst verliebt.

NaturalBornKiller: Ich warte auf dich. Komm zu mir. Komm nach Hause.

Ich ließ ihn noch eine weitere Woche warten.

Vielleicht, weil es so lange dauerte, bis ich mich ganz aus der klebrigen Umarmung der Puffmutter Hoffnung gelöst hatte.

Vielleicht, weil ich mich noch anständig verabschieden wollte.

Vom Leben allgemein.

Und zum Beispiel konkret von meiner Familie.

Meine Eltern hatten sich bereits für den einmal wöchentlich stattfindenden Besuchstag angemeldet.

Während ich draußen im Park auf sie wartete, dachte ich darüber nach, wie ich ihnen in einfachen und verständlichen Worten erklären sollte, dass mir nur die Option zu sterben blieb.

Wahrscheinlich würde das misslingen. Denn ich wusste jetzt unter anderem, dass ich über keinerlei Empathie verfügte und deswegen ständig alle kränkte.

Und mit Sicherheit würden es meine Eltern als persönlichen Angriff empfinden, wenn ich ihnen mitteilte, dass ich lieber sterben wollte, als mit ihnen zusammenzuleben.

Ich saß auf einer harten Holzbank im Schatten. Jetzt wusste ich auch, dass ich die Sonne deswegen als so extrem brutal wahrnahm, weil ich eine übersteigerte Reizwahrnehmung hatte. Was auch dazu führte, dass ich es schlecht unter Menschen aushielt. Weil die ja ständig irgendwas an Reizen aussonderten. Und dann konnte ich die Vielzahl der Eindrücke nicht verarbeiten, weil mein Gehirn sie nicht nach Priorität filterte, sondern versuchte, irgendwie alles wahrzunehmen und zu analysieren. Und dann kam der Schwindel, was nichts anderes war als eine totale Überhitzung der Leitungen.

Es brachte mir überhaupt keinen Vorteil, das alles zu wissen.

Die Sonne war trotzdem zu grell. Die Menschen waren trotzdem zu laut und zu bunt und zu geruchsintensiv. Die verdammte Welt tat mir trotzdem ununterbrochen unendlich weh und ich ihr und allen Geschöpfen darauf.

Und darum ich war weiterhin dazu verdammt, in der verfickten Villa Einsamkeit zu hausen und euch zu beobachten, ohne jemals wirklich dazuzugehören.

Nur weil mein Gehirn falsch verdrahtet war.

Vielleicht bekam ich einen Schwerbehindertenausweis für seelische Behinderung. Kein Witz. Das bekamen solche wie ich, wenn wir es beantragten. Vielleicht war das sogar die korrekte Bezeichnung für die Beschreibung meines Wesens: seelisch behindert.

Aber könnt ihr euch Lily vorstellen, wie sie in einem Heim für Behinderte lebt, wo die Wände fröhlich bunt und voller Fingerfarbenbilder sind, und das Pflegepersonal lustige Bastelrunden veranstaltet, und ein Betreuer mit ihr im Supermarkt einkaufen geht und sie dafür lobt, wenn sie sich nicht auf den Boden schmeißt und herumbrüllt, und wenn Lily einen Vortrag über die Dummheit der menschlichen Spezies hält, dann lächeln alle und nicken, weil es ja ihr Spezialinteresse ist, für das man bei Autisten Verständnis heucheln muss, und der Spasti aus dem Nebenzimmer zeigt ihr regelmäßig seinen Pimmel, wofür Lily dann Verständnis haben muss, weil der ja auch behindert ist und anders seine Zuneigung nicht ausdrücken kann, und am Ende nimmt Lily dann freiwillig diese ganzen Pillen, die aus ihr einen Zombie machen.

Anscheinend gibt es auch solche wie mich, die ein fast normales Leben führen. Aber das ist gelogen. Das sieht dann, wenn überhaupt, nur nach außen hin so aus.

Und überhaupt kursieren die dümmsten Theorien sogar in Fachkreisen über solche wie uns. Wir hätten keine Gefühle. Und keine Fantasie.

Wir haben zu viel davon, ihr ignoranten Wichser.

Wir haben so viel brutal komplexe Gedanken und Empfindungen, dass wir selber daran scheitern und erst recht daran, das alles zu kommunizieren.

Ich hab genau das versucht, die letzten zweihundert Seiten.

Bald muss ich nie wieder mit irgendjemandem kommunizieren.

Meine Eltern wollten unbedingt total viel kommunizieren.

Sie kamen vollbepackt mit entschlossenem Lächeln, Taschen voller Müsliriegel und meinen Lieblings-Büchern und dem Versprechen, dass wir das alles zusammen durchstehen würden.

Dr. Fuchs hatte sie bereits über seine Diagnose informiert. Offenkundig.

Sie redeten davon, dass es spezielle Therapieprogramme gäbe, dass in vielen Fällen eine Ernährungsumstellung schon die Besserung von Symptomen bewirkt hätte, und dass sie sich bereits der Kooperation meiner Schule vergewissert hätten, die bereit wäre, einen Schulbegleiter für mich zu organisieren.

Ich zuckte innerlich zusammen. Ich sah die fröhlichen bunten Wände des Behindertenheims vor mir. Und eine Zukunft des Grauens. Zum Glück hatte ich eine andere Option.

Aber ich nickte und versuchte tapfer zu lächeln und ließ mich sogar zum Abschied umarmen.

Als ich meinen Eltern hinterher sah, wie sie sich in Richtung Auto entfernten und sich dabei immer wieder umdrehten und winkten, merkte ich, dass ich sie mochte.

Sie waren an mir gescheitert. Aber sie hatten sich Mühe gegeben.

Ich winkte ein letztes Mal. Nur ich wusste, dass es wirklich das allerletzte Mal sein würde.

Dieser Gedanke tat seltsamerweise mehr weh als die

stechende Sonne. Ich würde meine Mutter und meinen Vater vermissen und sogar meine nervigen Brüder.

Das verwirrte mich ein wenig. Ich beschloss, bei Dr. Fuchs vorbeizuschauen.

Er öffnete erst auf mein zweites Klopfen seine Tür.

„Lily, ich bin mitten in einem Aufnahmegespräch. Was ist los?"

Durch den Türspalt konnte ich den Stuhl sehen, auf dem ich immer gesessen war. Jetzt saß dort zusammengekauert ein fremdes Mädchen mit strähnigen braunen Locken darauf und starrte demonstrativ auf seine Fingernägel.

Mein erster Impuls war es, Dr. Fuchs dazu aufzufordern, sie wegzuschicken, damit wir uns mit meinen, mit Sicherheit um einiges interessanteren Problemen, auseinandersetzen konnten.

Aber meine Zeit auf diesem Stuhl war abgelaufen. Ich war ein gestörtes Mädchen in einer unendlichen Reihe von gestörten Kindern gewesen. Dr. Fuchs war nicht mein Vertrauter.

NaturalBornKiller war mein Vertrauter.

„Sie sind ein bemerkenswert kompetenter Psychologe und es war eine große Freude für mich, mit Ihnen zusammenzuarbeiten, Dr. Fuchs.", sagte ich also nur.

„Danke", sagte er und ließ sich seine Irritation nicht anmerken, falls er eine solche verspürte.

Das war dann also mein Abschied von Dr. Fuchs.

Und mehr Menschen gab es nicht in meinem Leben.

Damit war der Tag gekommen, an dem ich alles außer ein bisschen Bargeld in der Klinik zurückließ und in den Zug stieg, um zu sterben.

Jetzt stehe ich also hier am Bahnsteig, mit meiner blöden weißen Lilie in der Hand, und warte als Braut auf den Tod.

Ich trage zur Feier des Tages mein Engelskostüm. Der löchrige schwarze Tüllrock bauscht sich auf wie kaputte Flügel.

Mir ist kalt, obwohl die Sonne scheint. Die Menschen fließen wie bunte Schatten um mich herum. Ich sehe ihre Gesichter und vergesse sie gleich wieder.

Züge rattern heran und wieder fort, Lautsprecher dröhnen, eine Drehorgel spielt verzerrt und irgendwie kläglich in der Ferne „My Way".

Ausnahmsweise habe ich mich nicht mit meinen Kopfhörern vor der Außenwelt verbarrikadiert, obwohl ich gerade jetzt ganz dringend Erik Satie und seine hypnotischen Melodien im Ohr bräuchte. Aber ein letztes Mal möchte ich den Lärm der Menschenwelt ganz bewusst wahrnehmen. Es ist nicht meine Welt. Ich werde sie nicht vermissen.

Werdet ihr mich vermissen?

Keine Sorge, das war eine rhetorische Frage. Natürlich werdet ihr mich nicht vermissen.

Aber könnt ihr bitte wenigstens kurz so tun? Weil... es ist mir ziemlich peinlich, aber ich habe gerade Angst. Und es wäre schön, wenn ich wüsste, dass irgendjemand um mich weint. Ziemlich egoistisch von mir, ich weiß. Aber so bin ich eben.

Meine Hand mit der Lilie zittert. Es wäre auch schön, wenn irgendjemand sie gerade ganz fest halten würde.

Jetzt, da hinten, zwischen den Männern im Anzug und der dicken Frau mit Kinderwagen, sehe ich sie endlich aufblitzen: Die rote Lilie. Rot wie Blut. Gleich werde ich meinem geliebten Mörder in die Augen sehen.

Ja, ich habe Angst. Ich muss lächeln. Es ist aufregend, Angst zu haben.

Stellt euch einfach vor, wie ein Zug in den Bahnhof einfährt und sich vor euer Sichtfeld schiebt. Gerade noch steht dort Lily. Ihr kurzes schwarzes Haar bewegt sich wie ein Federkleid im leichten Wind.

Und als der Zug wieder anfährt und euren Blick auf den Bahnsteig freigibt, ist Lily nicht mehr da. Wie im Film.

Vielleicht erhascht ihr noch einen allerletzten Blick auf einen Hauch Weiß und Rot, die sich zusammen aus der Menschenmenge entfernen.

Das ist mein persönliches Happy End.

Danke, dass ihr mir so lange zugehört habt.

Lebt wohl.

Epilog

Das Café in der Nähe des Bahnhofs liegt abgelegen vom Hauptverkehr in einer stillen Seitenstraße. Durch die schmutzige Glasscheibe sieht man in den dunklen Innenraum, wo einsame Tische und leere Stühle stehen.

An einem davon, ganz in der Ecke direkt am Fenster, sitzt sich ein Paar gegenüber.

Wenn man genauer hinblickt, sind es beinahe noch Kinder. Das Mädchen ist klein und zierlich und ganz in Schwarz gekleidet, mit kurzem schwarzem Haar.

Der Junge ist lang und dünn, sein blondes Haar fällt ihm in die Stirn und er trägt ein altmodisches weißes Hemd.

Sie trinken beide Cola. Vor ihnen auf dem Tisch liegen zwei Lilien, die langsam zu welken beginnen. Die eine ist weiß, die andere ist rot.

Sie unterhalten sich angeregt, weichen verlegen ihren Blicken aus, die sich manchmal doch treffen, und dann lächeln beide.

Und sie sitzen noch da, als bereits die Nacht anbricht.

Nachwort

Von Daan O. I. Brückner

Autistischer Psychologie-Student

Mit Lily ist eine sehr realistische Darstellung einer jungen Autistin gelungen, welche sich gleichzeitig von den meisten Porträts von autistischen Personen in Büchern und Filmen doch auffällig unterscheidet. Normalerweise werden Autisten dort als emotional sehr kalte und sozial auffällig unbeholfene Persönlichkeiten dargestellt, welche jedoch auf einem bestimmten Gebiet geniale Fähigkeiten besitzen. Aktuelle Beispiele wären hierfür Sherlock Holmes aus der Serie "Sherlock" oder Sheldon Cooper aus "The Big Bang Theory".

In der Realität sind Autisten allerdings weniger leicht zu typisieren. Hierbei gibt es das treffende Sprichwort „Kennst du einen Autisten, kennst du einen Autisten." Es gibt nicht **den** Autisten. Früher wurde zwischen verschiedenen Autismus-Typen unterschieden. Mittlerweile sind die Übergänge dank der Einführung des Autismus-Spektrums fließend. Es enthält von einer schweren Behinderung bis hin zu leichten Auffälligkeiten die verschiedensten Ausprägungen und Symptome.

Eine Gemeinsamkeit haben jedoch beinahe alle Personen, unter dieses Spektrum fallen: Sie fühlen sich signifikant anders als die anderen Menschen in ihrem sozialen Umkreis. Das Asperger-Syndrom, welches vergleichbar auf der Seite des Spektrums liegt, die eher milde Symptome enthält, ist deswegen auch unter der Bezeichnung „Wrong-Planet-Syndrom" bekannt, da Aspis (wie sie sich gern selbst scherzhaft nennen) oft das Gefühl haben auf einem fremden Planeten gestrandet zu sein, dessen Konventionen und Bewohner sie nur schlecht verstehen können. Viele Autisten berichten, dass sie sich soziale Fähigkeiten beinahe wie eine Fremdsprache selbst aneignen mussten.

Dieses Gefühl der Andersartigkeit führt natürlich zu einer Vielzahl an Problemen. Viele autistische Kinder werden beispielsweise von Gleichaltrigen ausgegrenzt oder sondern sich selbst freiwillig ab. Depressionen und soziale Phobien sind hierbei oftmals die Folge, welche die Autismus-Diagnose nicht selten erschweren, da häufig nur die durch den Autismus und dessen Folgen entstandenen Störungen wie eben Depressionen oder auch ADHS gesehen werden. Das Facharzt-Journal NEUROMEDIZIN meldete außerdem ein deutlich erhöhtes Suizid-Risiko bei jungen Autismus-Patienten.

Ich hoffe, dass das vorliegende Buch dabei hilft, die Gründe dafür nachvollziehen zu können. Und vor allem hoffe ich, dass es zu einer besseren Verständigung zwischen neurotypischen Menschen und Autisten beiträgt, und dazu, dass Autisten nicht nur als Klischees, sondern vor allem als das gesehen werden, was sie sind: Individuen mit Gefühlen.

Danksagungen

Dieses Buch mag zwar keine tausende von Seiten haben, aber das Schreiben fühlte sich ganz danach an. Es ist ein sehr persönliches, beinahe schon intimes Buch, um das ich hart kämpfen musste.

Deswegen bin ich umso glücklicher, dass es doch seinen Weg zur Veröffentlichung gefunden hat. Und ich bin voller Dank gegenüber den Menschen, die diesen Weg begleitet, leichter oder sogar erst möglich gemacht haben.

Ich danke meinem Sohn Daan Oriah Israel: Deine Geschichte ist auch diese Geschichte, und ohne Dich gäbe es sie nicht. Du bist die Inspiration und der Grund für dieses Buch. Und Du bist toll und Mama hat dich lieb, und vergiss nicht, immer ordentlich zu essen und Deine Unterhose zu wechseln.

Ich danke meine Eltern für die stete Unterstützung in allen Lebenslagen und insbesondere für das engagierte Korrekturlesen dieses Manuskripts. Das gilt auch für die beiden weiteren Kämpfer an der Familienfront: Meinen Geschwistern Rahel und Jan danke ich besonders für ihr scharfes Auge: Alle Rechtschreibefehler, die noch enthalten sind, können keine Rechtschreibefehler sein, sondern nur optische Täuschungen.

Den Testlesern danke ich ebenfalls von Herzen: Jana, Theresa und Bianca, das war durchweg ein wertvolles Feed-Back.

Eva, du hast nicht nur probegelesen, sondern bist als ständige Kreativ-Begleitung unverzichtbar, sei es einfach nur zur gemeinsamen inspirierenden Kaffee-Pause oder als Cover-Expertin, du bist die beste Freundin in allen Universen und Dimensionen, ich danke Dir.

Special Thanks gehen an Marilyn Manson und Philip Glass, ihr seid der etwas wild geratene Soundtrack zu dieser Geschichte, aber was würde ansonsten dazu passen?

Und zuletzt danke ich dem Mann, der dafür gesorgt hat, dass Lily nicht in einer virtuellen Schublade verstaubt, nämlich meinem einzigartigen Mann Oliver Kai. Auch wenn Du findest, dass Romane Zeitverschwendung sind, glaubst Du an meine Romane und dafür und für noch so viel unendlich mehr, liebe ich Dich.

Hanna-Linn Hava…

…geboren 1978, wurde bereits mit dem Würth-Literaturpreis ausgezeichnet und veröffentlicht nach dem Fantasy-Thriller "Schneewittchens Geister" nun ihren zweiten Roman "Lilys Engelskostüm hat kaputte Flügel".

Bei ihrem Sohn wurde 2014 das Asperger-Syndrom diagnostiziert und bei ihr selbst ein dementsprechender Verdacht geäußert. Seitdem setzt sie sich intensiv mit dem Thema Autismus auseinander.

Auf Instagram publiziert sie poetische Werke, die bereits in dem Lyrikband "Trotzigschön – Poesie aus Anderswann" herausgebracht wurden, und verspinnt allgemein in ihren Arbeiten dunkle Romantik mit kompromissloser Prosa.

www.hannalinnhava.de

Schneewittchens Geister

**Ein erfrischend modernes Märchen
mit einem ordentlichen Schuss Irrsinn.**

Schneewittchen heißt eigentlich Ernestine Nordmoor und
mag Totenköpfe. Sie raucht, ist depressiv und eine Hypochonde-
rin. Weil sie außerdem noch Geister sieht, ist sie in der Psychiatrie
ein Dauergast. Als sie eines Tages auf einen verdächtigen Prinzen
trifft, ist nichts mehr wie zuvor.

Ernestine muss um ihr Leben fürchten, denn plötzlich ist
nicht nur die böse Hexe, sondern auch gleich der Leibhaftige hinter ihr her

Hanna-Linn Hava spinnt frech das Grimmsche Garn weiter
zu einem furiosen Fantasy-Spektakel, in dem sich Dornröschen,
Rotkäppchen und Schneewittchen die Klinke in die Hand geben
und sich mit Geistern, Lindwürmern und allerlei wenig zimperli-
chen Gestalten herumschlagen müssen.

Softcover, ca. 330 S., ISBN: 978-3-943876-75-8,
Periplaneta Verlag, Edition Drachenfliege, GLP: 14,90 € (D)